JOYCE MEYER

VIVENDO

Controlando as Emoções
Para que Elas não Controlem Você

ALÉM DOS

SENTIMENTOS *seus*

Belo Horizonte

Edição publicada mediante acordo com FaithWords, New York, New York. Todos os direitos reservados.

Diretor
Lester Bello

Autora
Joyce Meyer

Título Original
Living Beyond Your Feelings

Tradução
Maria Lucia Godde / Idiomas & Cia

Revisão
Idiomas & Cia / Edna Guimarães,
João Guimarães, Ana Lacerda,
Mércia Padovani e Daiane Rosa

Diagramação
Julio Fado
Ronald Machado (Direção de arte)

Design capa (adaptação)
Fernando Rezende
Ronald Machado (Direção de arte)

Impressão e Acabamento
Premmiumgraf Serviços Gráficos

BELLO PUBLICAÇÕES

Rua Vera Lúcia Pereira, 122
Bairro Goiânia - CEP 31.950-060
Belo Horizonte/MG - Brasil
contato@bellopublicacoes.com.br
www.bellopublicacoes.com.br

© 2011 por Joyce Meyer
Copyright desta edição
FaithWords
Hachette Book Group
New York, NY

Publicado pela
Bello Comércio e Publicações Ltda-ME
com a devida autorização de
Hachette Book Group e todos
os direitos reservados.

Primeira edição — Janeiro de 2013
3ª Reimpressão — Fevereiro de 2016

Todos os direitos reservados. Nenhuma parte desta publicação poderá ser reproduzida, distribuída ou transmitida sob qualquer forma ou meio, ou armazenada em base de dados ou sistema de recuperação, sem a autorização prévia por escrito da editora.

Exceto em caso de indicação em contrário, todas as citações bíblicas foram extraídas da Bíblia Sagrada Nova Versão Internacional (NVI), 2000, Editora Vida. Outras versões utilizadas: AA (Almeida Atualizada, SBB), ABV (A Bíblia Viva, Mundo Cristão) ACF (Almeida Corrigida Fiel, Sociedade Bíblica Trinitariana do Brasil). A versão AMP (*Amplified Bible*) foi traduzida livremente do idioma inglês em função da inexistência de tradução no idioma português.

CIP-BRASIL. CATALOGAÇÃO NA FONTE

Meyer, Joyce
M612   Vivendo além dos seus sentimentos: Controlando as emoções para que elas não controlem você / Joyce Meyer; tradução de Maria Lúcia Godde / Idiomas & Cia. – Belo Horizonte: Bello Publicações, 2016.
240p.
Título original: Living beyond your feelings

ISBN: 978-85-61721-93-0

1. Auto ajuda – Aspectos religiosos. I. Título.

CDD: 158.1
CDU: 159.9

Sumário

Introdução 7

PARTE I

Capítulo 1:   Quero Fazer o Que É Certo,
mas Faço o Que É Errado! 13
Capítulo 2:   Por que Sou Tão Emotivo? 23
Capítulo 3:   Diga a Alguém Como Você se Sente 35
Capítulo 4:   Nossos Segredos nos Deixam Doentes 44
Capítulo 5:   Gostaria de Não me Sentir Assim 53
Capítulo 6:   Você Está Vivo? 63
Capítulo 7:   Reações Emocionais 75
Capítulo 8:   Os Pensamentos São o Combustível
dos Sentimentos 87
Capítulo 9:   As Palavras São o Combustível das Emoções 99
Capítulo 10: Afinal, Posso Controlar *Alguma* Coisa?   108

PARTE II

Capítulo 11: Ira 123
Capítulo 12: Culpa 137

Capítulo 13: Medo 148
Capítulo 14: Lidando com a Perda 161
Capítulo 15: Libertação do Desânimo e da Depressão 179
Capítulo 16: Por que É Tão Difícil Perdoar? 192
Capítulo 17: Como as Emoções Afetam a Nossa Saúde 206
Capítulo 18: O Estresse e as Emoções 219
Capítulo 19: Emoções Positivas 227

Sugestões para Leitura 239

Os sentimentos são como ondas;
não podemos impedi-las de vir,
mas podemos escolher quais delas vamos surfar.
Jonatan Martensson

Introdução

Parece-me que falamos mais de como nos sentimos do que praticamente de qualquer outra coisa. Nós nos sentimos mal ou bem, felizes ou tristes, empolgados ou desanimados, e mil outras coisas. A lista das muitas maneiras como nos sentimos é quase interminável. Os sentimentos estão sempre mudando, geralmente sem avisar. Eles não precisam da nossa permissão para oscilar; simplesmente parece que têm vontade própria e agem sem nenhum motivo específico que podemos encontrar.

Todos já fomos deitar sentindo-nos bem física e emocionalmente, e acordamos cansados e irritáveis. Por quê? *Por que me sinto assim?* Perguntamo-nos e, depois, geralmente, começamos a dizer a qualquer pessoa que nos queira ouvir como nos sentimos. É interessante observar que temos a tendência de falar muito mais sobre os nossos sentimentos negativos do que dos positivos.

Se acordo sentindo muita energia e empolgação com aquele dia, raramente anuncio a todos com quem entro em contato; entretanto, se estou cansada e desanimada, quero dizer isso a todos. Levei anos para aprender que falar sobre como me sinto aumenta a intensidade desses sentimentos. Então, parece que devemos ficar quietos com relação aos sentimentos negativos e falar sobre os positivos. À medida que ler este livro, vou lhe pedir para tomar algumas decisões; talvez esta seja a primeira decisão que você irá tomar. Anote-a e confesse-a em voz alta:

Decisão e confissão: *Vou falar sobre os meus sentimentos positivos, para que eles aumentem, e vou calar os meus sentimentos negativos, para que percam força.*

Você pode sempre dizer a Deus como se sente e pedir a ajuda e a força dele, mas falar sobre sentimentos negativos apenas por falar não adianta nada. A Bíblia nos instrui a não dizermos palavras fúteis (ineficientes, inoperantes) (ver Mateus 12:36). Se os sentimentos negativos persistirem, pedir oração ou buscar aconselhamento é bom, mas novamente, quero enfatizar que falar apenas por falar é inútil.

> Quando são muitas as palavras, o pecado está presente, mas quem controla a língua é sensato.
>
> **Provérbios 10:19**

O tema principal deste livro é que, embora os sentimentos possam ser muito fortes e exigentes, não temos de deixá-los governar a nossa vida. Podemos aprender a administrar nossas emoções em vez de permitir que elas nos dominem. Essa foi uma das verdades bíblicas mais importantes que aprendi na minha jornada com Deus. Verdade que me permitiu desfrutar minha vida de forma consistente. Se tivermos de esperar para perceber como nos sentimos antes de saber se podemos desfrutar o nosso dia, então estaremos dando aos sentimentos o controle sobre nós. Mas felizmente temos livre-arbítrio e podemos tomar decisões que não se baseiam em sentimentos. Se estivermos dispostos a fazer as escolhas certas, independentemente de como nos sentimos, Deus sempre será fiel para nos dar força para fazê-lo.

Viver a vida abundante que Deus preparou para nós baseia-se em sermos obedientes à Sua maneira de ser e de agir. Ele nos dá

Introdução

força para fazer o que é certo, mas somos nós que temos de escolher isso... Deus não fará isso por nós. Ele nos ajuda, mas precisamos participar escolhendo o certo em lugar do errado. Podemos nos sentir errados e ainda assim escolher fazer o que é certo. Ninguém pode desfrutar a vida de forma consistente até que esteja disposto a fazer isso. Por exemplo, posso sentir vontade de excluir alguém da minha vida porque essa pessoa feriu meus sentimentos ou me tratou injustamente, mas posso optar por orar por ela e tratá-la como Jesus a trataria enquanto espero que Ele exerça a justiça. Se agir de acordo com os meus sentimentos, estarei fazendo a coisa errada e perderei a paz e a alegria. Mas quando escolho fazer o que Deus me instruiu na Sua Palavra, tenho a recompensa dele na minha vida.

Os sentimentos por si só não são bons nem ruins. Eles são simplesmente instáveis e precisam ser administrados. Eles podem ser agradáveis e maravilhosos, mas também podem nos tornar infelizes e nos levar a fazer escolhas que venhamos a lamentar. As emoções desenfreadas podem ser comparadas a uma criança pequena que quer ter tudo e fazer tudo, mas não entende o perigo que algumas dessas coisas representam. O pai ou a mãe deve controlar a criança, ou ela, com certeza, se machucará, e machucará outros. Precisamos cuidar das nossas emoções como quem cuida de um filho. Precisamos treiná-las para nos servirem e não permitir que nos tornemos seus escravos.

Se está pronto para dominar as suas emoções, este livro é para você. Creio que poderei ajudá-lo a entender alguns dos seus sentimentos, mas entendê-los não é nem de longe tão importante quanto controlá-los. Tome a decisão de não deixar mais seus sentimentos controlarem você.

Este talvez seja um dos livros mais importantes que você já leu. Os princípios contidos aqui concordam

> *Se está pronto para dominar as suas emoções, este livro é para você. Creio que poderei ajudá-lo a entender alguns dos seus sentimentos, mas entendê-los não é nem de longe tão importante quanto controlá-los.*

com a Palavra de Deus e colocarão você em uma posição de autoridade e não de escravo. Você pode ter vitória em vez de ser uma vítima. Você não precisa esperar para ver como se sente todos os dias antes de saber como vai agir. Creio que este livro lhe ajudará a entender melhor a si mesmo e também o equipará para tomar decisões que liberem o melhor de Deus para a sua vida.

Decisão e confissão: *Escolho fazer o que é certo, independentemente de como me sinto.*

PARTE I

Capítulo 1

Quero Fazer o Que É Certo, Mas Faço o Que É Errado!

Nós, seres humanos, somos extremamente complexos. Nossas emoções são apenas um aspecto do nosso ser, mas elas são um aspecto muito importante. Na verdade, dizem que as emoções são o inimigo número um do cristão, porque elas podem facilmente nos impedir de seguirmos a vontade de Deus. Creio que as emoções têm sido um mistério para a maioria das pessoas. Em geral, simplesmente não sabemos por que nos sentimos como nos sentimos. Deixamos as emoções nos confundirem, e isso geralmente nos leva a tomar decisões que lamentamos mais tarde.

Talvez haja muitas coisas que não entendemos acerca de nós mesmos, mas graças a Deus podemos aprender. Se você ficar na frente do espelho e olhar para si mesmo, verá o seu corpo, mas ele é apenas a casca externa de quem realmente é. Há muitas coisas que se passam dentro de nós que não podem ser vistas a olho nu. Temos pensamentos, sentimentos, imaginações e desejos que residem em uma parte muito mais profunda do nosso ser do que aquilo que vemos no espelho. A Bíblia se refere a essa parte como o "... homem encoberto no coração" (1 Pedro 3:4, ACF). Você já sentiu que existe uma pessoa vivendo dentro de você que é muito diferente daquela que você apresenta ao mundo? Creio que, às vezes, todos nos sentimos assim.

Somos seres espirituais, antes de tudo; temos uma alma e vivemos em um corpo. Devemos prestar mais atenção à pessoa interior porque, quando morrermos, nosso espírito e nossa alma são as partes de nós que viverão para sempre, mas o nosso corpo simplesmente se desintegrará.

> O enfeite delas não seja o exterior, no frisado dos cabelos, no uso de joias de ouro, na compostura dos vestidos; mas o homem encoberto no coração; no incorruptível traje de um espírito manso e quieto, que é precioso diante de Deus.
> 1 Pedro 3:3-4 ACF

Esta passagem não está querendo dizer que é errado pentear o cabelo, usar joias ou ter roupas bonitas. Ela diz que se prestamos atenção excessiva à nossa aparência e ignoramos o homem encoberto no coração, Deus não se agrada disso. Seria muito melhor para nós trabalharmos com o Espírito Santo para melhorar nossos pensamentos, nossas emoções, nossas atitudes, nossas imaginações e nossa consciência. Se aos olhos do mundo uma mulher é considerada linda e bem vestida, mas é cheia de raiva, falta de perdão, culpa, vergonha, depressão e pensamentos negativos e odiosos, ela está falida espiritualmente e não tem qualquer atrativo para Deus.

A Guerra Interior

Geralmente, sentimos que uma guerra está sendo deflagrada dentro de nós. Uma parte de nós (o homem interior) quer fazer o que sabemos que é certo, e outra parte (o homem exterior) quer fazer o que é errado. A coisa errada pode dar a sensação de que é certa, ao passo que a coisa certa pode dar a sensação de ser errada. Lembre-se de que não podemos julgar o valor moral de nenhuma ação pela maneira que nos sentimos. Nossos sentimentos não são confiáveis e não podemos confiar neles para nos transmitir a verdade.

Uma mulher cristã pode envolver-se emocionalmente com um homem que não é seu marido; ela pode sentir que jamais poderia ser feliz sem ele, mas lá no fundo sabe que deixar sua família por outro homem seria a coisa errada a fazer. Ela não quer magoar ninguém nem decepcionar sua família e seus amigos, mas seus sentimentos parecem avassaladores. Ela luta contra os seus pensamentos e emoções em meio a uma batalha terrível e implacável.

Ela se convence a fazer a coisa certa, mas quando pensa naquele homem ou o vê, volta a sentir que não pode ser feliz sem ele. Parte dela quer fazer o que sabe ser certo e parte quer fazer o que sente vontade, embora saiba que é errado. Ela se pergunta e, talvez, a outras pessoas, diversas vezes: "Por que me sinto assim?" Talvez deseje não sentir o que sente, mas então ela pensa: *Como isto pode ser errado se sinto que é tão certo?* Ela começa a justificar seus atos dando desculpas e colocando a culpa em outros. Ela diz que seu marido não a entende e nunca está disponível emocionalmente. Sente-se solitária e se convence de que se casou com o homem errado. Esses argumentos certamente parecem razoáveis, mas ainda existe algo dentro dela que não quer deixá-la ir sem lutar. O Espírito de Deus que habita no seu espírito está lhe trazendo convicção e tentando convencê-la a seguir a sabedoria em lugar de seguir suas emoções.

A mulher é cristã e tem conhecimento razoável da Palavra de Deus. Como crente em Cristo, ela tem um espírito renovado; Deus lhe deu um novo coração e colocou o Seu Espírito dentro dela. Em seu espírito, ela sabe o que é certo e quer fazer isso, mas sua alma, onde residem seus pensamentos e emoções, tem uma ideia completamente diferente. Ela quer o que a faz sentir-se bem naquele momento, e não o que vai produzir bons resultados mais tarde.

Se uma mulher não tem conhecimento da Palavra de Deus nem relacionamento com Ele, ela pode não se importar se aquilo que deseja é certo ou não, mas a cristã é incapaz de pecar e não se

Capítulo 1

importar. Ela pode escolher pecar, mas a sua escolha não se deve à ignorância. Ela se deve à rebelião e talvez a um hábito que dura a vida inteira de permitir que suas emoções a governem. A Bíblia nos ensina que aqueles que nasceram de Deus não podem pecar voluntariamente, habitualmente e deliberadamente, porque a natureza de Deus permanece neles (ver 1 João 3:9). Eles podem pecar, mas não podem fazer isso confortável e continuamente. Eles estão muito cientes de suas más ações, e se sentem muito infelizes.

O filho de Deus frequentemente descobre que quer fazer o que é certo e errado ao mesmo tempo. Seu espírito renovado anseia por santidade e justiça, mas a alma carnal ainda anseia pelas coisas do mundo. Até o apóstolo Paulo descreve sentir o mesmo em Romanos capítulo 7: "Pois o que faço, não o entendo; porque o que quero, isso não pratico; mas o que aborreço, isso faço" (Romanos 7:15, AA).

Paulo prossegue no mesmo capítulo explicando mais acerca do que sentimos ao dizer que ele tem a intenção e o ímpeto de fazer o que é certo, mas que fracassa em executá-lo. Ele deixa de praticar o bem que deseja fazer, e em vez disso, pratica o mal. Felizmente, por volta do final do capítulo, Paulo entende que somente Cristo pode libertá-lo das ações carnais, e quando continuamos estudando sua vida, percebemos que ele desenvolveu a capacidade de dizer "não" a si mesmo se o que ele queria não estivesse de acordo com a Palavra de Deus. Ele aprendeu a depender de Deus para lhe dar força e depois seguir a Sua vontade para escolher o que era certo, independentemente de como se sentisse. Paulo disse que morria diariamente, o que significa que ele morria para os próprios desejos carnais a fim de glorificar a Deus: "Eu vos declaro, irmãos... que morro todos os dias" (1 Coríntios 15:31, AA).

Os cristãos eram perseguidos regularmente durante a época em que Paulo viveu, e ele certamente enfrentava a possibilidade da morte física diariamente, mas também viveu a morte da alma ao deixar de lado a própria vontade para viver para Deus. Ele escolheu obedecer a Deus e andar no espírito (sabedoria) em vez de andar na carne. Ele andava de acordo com o que sabia que era certo, e não de acordo com a maneira que se sentia ou com o que pensava, e classificava a atitude de tomar essas decisões certas como "morrer para si mesmo".

Uso a expressão "morrer para si mesmo" neste livro, e embora pareça desagradável e doloroso, a verdade é que precisamos morrer para nós mesmos se quisermos verdadeira e genuinamente viver a vida que Deus preparou para nós por intermédio de Jesus Cristo. Quando estamos dispostos a viver pelos nossos princípios em vez de viver pela emoção, estamos morrendo para o egoísmo e desfrutaremos a vida abundante de Deus. Estou certa de que você já ouviu o ditado: "Sem dor... não há lucro!" Todas as coisas boas da vida exigem um investimento inicial (que geralmente é doloroso!) antes de vermos a recompensa.

O exercício é doloroso, mas gera uma recompensa. Economizar dinheiro significa que negamos a nós mesmos algumas coisas que queremos, mas a recompensa é a segurança financeira mais tarde na vida. Superar as dificuldades no relacionamento finalmente produz a recompensa de se ter um bom companheirismo. Dedicar tempo para estudar a Palavra de Deus e aprender sobre o Seu caráter requer disciplina, mas traz grande recompensa.

Aprender a entender a diferença entre alma e espírito é vital se quisermos ter certa dose de estabilidade e de vitória na vida. Precisamos aprender a viver a nova natureza que Deus nos deu enquanto negamos à velha natureza (a carne) o direito de governar.

Dave me disse que ele se lembra do tempo em que voltava para casa do trabalho, dirigindo à noite, pensando *Como será que Joyce estará esta noite?* Ele nunca podia saber, porque eu estava sempre mudando. Mesmo que eu estivesse de bom humor quando ele saía de manhã, isso não era garantia de que eu ainda estaria de bom humor à noite. Infelizmente, eu também não sabia como estaria até que meus sentimentos me informassem. Eu era completamente controlada pela maneira como me sentia, e o que é pior, eu não sabia que podia fazer alguma coisa a respeito. A Palavra de Deus diz que o povo perece por falta de conhecimento (ver Oseias 4:6; Provérbios 29:18), e sei por experiência própria o quanto isso é verdade.

Estou escrevendo este livro porque acredito que milhões de pessoas vivem assim e estão em busca de respostas. Elas querem mais estabilidade. Querem poder confiar em si mesmas e desejam que as outras pessoas sintam que podem confiar em sua estabilidade emocional, mas elas não aprenderam que podem administrar suas emoções em vez de deixar que suas emoções as controlem.

Uma Nova Natureza

A Palavra de Deus nos ensina que quando recebemos Cristo como nosso Salvador e Senhor, Ele nos dá uma nova natureza (ver 2 Coríntios 5:17). Na verdade, Ele nos dá a Sua natureza. Ele também nos dá um espírito de disciplina e domínio próprio, que é vital para nos permitir escolher os caminhos da nossa nova natureza. Ele ainda nos dá uma mente equilibrada (ver 2 Timóteo 1:7), e isso significa que podemos pensar nas coisas adequadamente sem sermos controlados pela emoção. A maneira como éramos desaparece e temos à disposição todo o equipamento que precisamos para adquirir um modo inteiramente novo de nos comportarmos. Deus nos dá a capacidade e se oferece para nos ajudar, mas não somos fantoches e Ele não nos manipula. Precisamos escolher o espírito em lugar da carne e o certo em lugar do errado. Nosso espírito renovado agora pode controlar nossa alma e nosso corpo, ou, em outras palavras, o homem interior pode controlar o homem exterior.

A Bíblia usa frequentemente o termo "a carne" quando se refere a uma combinação do corpo, da mente, das emoções e da vontade. A palavra *carne* é usada como sinônimo da palavra *carnal*. Procede de uma palavra que significa visceral ou animalesco. Em outras palavras, se a carne não for controlada pelo espírito, ela pode se comportar como um animal selvagem.

Você já fez algo ridículo em um momento de intensa emoção e depois disse: "Não posso acreditar que me portei daquela maneira!"? Todos nós passamos por momentos assim. Gosto de picles em conserva, mas quando estava grávida eu não podia comê-los porque tive de fazer uma dieta de redução de sódio. Eu queria tanto comer picles que depois de voltar para casa, após ter o meu bebê, sentei-me e comi um quarto de um pote de picles em conserva. É claro que fiquei doente e depois percebi que fazer aquilo foi um exagero e, definitivamente, nada inteligente. O modo como ataquei aqueles picles não foi diferente da maneira que um animal ataca um pedaço de carne.

Sem a ajuda de Deus, temos dificuldade em fazer as coisas com moderação. Costumamos comer demais, gastar dinheiro demais, nos divertir demais e falar demais. Somos exagerados nos nossos atos porque nos comportamos emocionalmente. Sentimos vontade de fazer alguma coisa e a fazemos, sem pensar no resultado. Depois que está feito e não pode ser desfeito, lamentamos tê-lo feito.

Entretanto, não temos de viver lamentando. Deus nos dá o Seu Espírito para nos capacitar a fazer escolhas certas e sábias. Ele nos impulsiona, guia e dirige, mas ainda temos de dar o voto de decisão. Se você tem votado da maneira errada, tudo que precisa é mudar o seu voto. Para formar novos hábitos, precisa tomar a decisão de não fazer o que tem vontade, a não ser que esteja de acordo com a vontade de Deus. Você terá de dizer "não" a si mesmo com frequência, e isso é "morrer para si mesmo".

Lembre-se de que as escolhas sábias podem não ter nada a ver com os sentimentos. Você talvez não sinta vontade de fazer o que é certo. *Você pode ter o sentimento errado e ainda assim fazer o que é certo.*

As emoções podem nos levar a querer fazer o que é certo e o que é errado ao mesmo tempo. Nem sempre é fácil escolher

Capítulo 1

> *Você pode ter o sentimento errado e ainda assim fazer o que é certo.*

fazer o que é certo, mas é mais fácil do que escolher a coisa errada e passar pela tristeza que sentimos depois. Posso sentir vontade de fazer cara feia e sentir pena de mim o dia inteiro se as coisas não correrem do jeito que quero, mas por intermédio de Cristo posso escolher ter uma atitude positiva e confiar em Deus para me dar o que Ele quiser que eu tenha naquele momento.

Dave teve um carro raro, de alto desempenho, por alguns anos, e em muitas ocasiões tentei convencê-lo a vendê-lo. Ele se recusava terminantemente, o que às vezes me deixava muito zangada. Ele raramente dirigia o carro, mas pagávamos o seguro e os impostos referentes a ele anualmente. Tínhamos também despesas de conserto. Ele dizia que estava disposto a vendê-lo, mas queria muito mais por ele do que qualquer pessoa estava disposta a pagar. O carro nos custava dinheiro para simplesmente ficar parado na garagem, e isso me deixava terrivelmente frustrada. Por que ele queria um carro que raramente dirigia, quando podia vendê-lo e usar o dinheiro para outra coisa? Mesmo que não conseguíssemos o dinheiro que Dave queria por ele, pelo menos poderíamos parar de gastar dinheiro com ele! Depois de cerca de quatro anos permitindo que aquilo me irritasse, finalmente orei e entreguei toda aquela situação a Deus e decidi que mesmo que Dave quisesse ficar com o carro até a nossa morte, não valia a pena deixar que a emoção da ira me controlasse.

Mais dois anos se passaram, e certa noite, nosso filho Dan telefonou e disse: "Acho que papai deveria vender aquele carro. Afinal, ele nunca o dirige." Eu disse: "Ele não quer vendê-lo porque quer mais dinheiro do que ele vale, mas eu ficaria muito feliz se você tentasse convencê-lo a fazer isso." Passei o telefone para Dave, e em menos de um minuto ele disse: "Sim, concordo; vamos vendê-lo. Afinal, quase não o dirijo mesmo." Impressionante! Por que ele não quis *me* ouvir? Como a maioria das mulheres sabe, os homens nem sempre são bons em ouvir suas esposas. Ele esperou até parecer que a venda do carro fora ideia dele e não minha.

Eu poderia ter ficado zangada porque ele nunca dizia "sim" para mim, mas concordou com nosso filho quando ele disse a mesma coisa que eu vinha dizendo havia anos. Mas sei que Deus tem o tempo dele para tudo, e geralmente não é o nosso tempo. Eu ficava irada de tempos em tempos durante anos, mas quando entreguei a situação a Deus, tive paz enquanto Deus convencia Dave a vender o carro. Observe que eu disse que *Deus* convenceu Dave. Ele usou nosso filho, mas Deus estava por trás daquilo. Deus, na verdade, estava respondendo à minha oração, mas Ele fez isso do jeito dele e no tempo dele.

Os cristãos muitas vezes são carnais. Eles creem em Deus e recebem Jesus como Salvador, mas a vida deles parece girar grandemente em volta dos impulsos da emoção. Quanto mais cedo aprendermos que os sentimentos são instáveis, melhor será para nós. Os sentimentos geralmente não são confiáveis e não devemos confiar neles ao tomarmos decisões definitivas. É bom termos sentimentos nos apoiando quando tomamos uma atitude, mas podemos fazer o que é certo com ou sem o combustível dos sentimentos. Você pode ter o hábito de seguir os seus sentimentos para sentir-se feliz e confortável, mas também pode criar novos hábitos. Crie o hábito de ter boas emoções, mas não permita que elas controlem você.

Gosto de uma declaração de Watchman Nee: "À medida que a emoção pulsa, a mente é enganada e à consciência é negado o seu padrão de julgamento." Você se lembra da mulher que ficou atraída emocionalmente pelo homem que não era o seu marido? Ela sabia lá no fundo que suas atitudes estavam erradas, mas suas emoções estavam pulsando, e o diabo usou a sua mente (seus pensamentos e seu raciocínio) para enganá-la. A voz da sua consciência foi sufocada pelos pensamentos e sentimentos impelidos por sua alma.

Deixe-me dizer novamente que querer fazer o que é certo e querer fazer o que é errado ao mesmo tempo não é estranho a nenhum de nós. Todos nós lutamos as mesmas batalhas, mas quero que tome a decisão neste instante de que com a ajuda de Deus você vai vencer a guerra.

Decisão e confissão: *Sigo os princípios de Deus, e não as emoções; portanto, sou um vencedor na vida.*

Capítulo 2

Por que Sou Tão Emotivo?

Todos nós temos dias em que nos sentimos mais emotivos que em outros, e pode haver muitos motivos para isso. Talvez você não tenha dormido bem na noite anterior, ou comeu alguma coisa que baixou o nível de açúcar no seu sangue ou ingeriu algo a que é alérgico. Ter um dia ocasionalmente emocional é uma coisa com a qual não temos de nos preocupar muito. Se Dave tem um dia como esse, ele nunca tenta entender a razão. Ele simplesmente diz: "Isto também passará".

Às vezes, nos sentimos emotivos porque alguma coisa nos angustiou no dia anterior e não resolvemos o assunto. Muitas vezes, somos culpados porque engolimos coisas em vez de tratarmos delas. Se você é uma pessoa que evita o confronto, pode ter a alma cheia de problemas não resolvidos que precisam ser encerrados antes que desfrute da sua saúde emocional.

Lembro-me de uma noite em que não conseguia dormir, o que é raro para mim. Finalmente, por volta das cinco da manhã, perguntei a Deus o que havia de errado comigo. Imediatamente, lembrei-me de uma situação que acontecera no dia anterior. Eu fora rude com alguém e em vez de pedir desculpas e perdão a Deus, passei apressadamente pela situação e voltei minha atenção para a coisa seguinte que eu tinha de fazer. Obviamente, a minha conduta errada estava irritando o meu espírito, embora a minha mente consciente houvesse enterrado o assunto. Assim que pedi perdão a Deus e tomei a decisão de pedir desculpas à pessoa, pude dormir.

Se você se sente estranhamente triste, como se estivesse carregando um fardo pesado que não entende, pergunte a Deus o que está errado antes de começar a fazer suposições. É impressionante o que podemos aprender simplesmente pedindo a Deus uma resposta e estando dispostos a encarar a verdade que Ele pode revelar a nosso respeito ou sobre o nosso comportamento, seja ela qual for. Às vezes, nos sentimos emotivos por causa de alguma coisa que alguém nos fez ou de alguma circunstância desagradável que nos aconteceu. Mas outras vezes nos sentimos assim por causa de algo que fizemos de errado e ignoramos.

> Enquanto eu mantinha escondidos os meus pecados, o meu corpo definhava de tanto gemer.
>
> Salmos 32:3

Encarando os Problemas

Se alguém tem um longo histórico de um comportamento emocional desequilibrado, essa pessoa pode ter muitos problemas que precisa encarar, talvez até problemas antigos que vêm desde a infância. Jesus nos deu o primeiro princípio a ser lembrado com relação à saúde emocional estável quando disse: "E conhecerão a verdade, e a verdade os libertará" (João 8:32).

Sem confrontar os problemas dolorosos do passado, é impossível seguir em frente com a alma saudável. Meu pai cometeu abuso sexual contra mim, e quando percebi que ninguém me ajudaria, decidi que eu iria sobreviver até completar 18 anos e poder sair de casa, o que fiz. Parti e pensei que o problema terminara, mas levei mais treze anos para perceber que o problema ainda estava em minha alma. Ele estava afetando a minha personalidade e a maneira como eu lidava com tudo e com todos. Eu tinha de começar a minha jornada de cura estando disposta a olhar para o problema dentro de mim em vez de colocar a culpa por todos os meus problemas em outra pessoa.

Tive até de parar de colocar a culpa por eles em meu pai e em todas as pessoas que não me ajudaram. Embora o que eles fizeram ou não comigo para me ajudar tivesse sido a fonte do meu problema e o motivo pelo qual meu comportamento era emocionalmente errático e não estável, eu tinha de assumir a responsabilidade pelas mudanças que precisavam ser feitas em mim. Lembre-se sempre de que colocar a culpa em outra pessoa não adianta nada, e não ajuda você a desfrutar liberdade e saúde. Deus queria me ajudar, mas tive de pedir a Ele para fazer isso e estar disposta a deixar que o maravilhoso Espírito Santo me conduzisse por vários anos de cura. A Palavra de Deus é a verdade que finalmente me libertou da dor do meu passado e me deu estabilidade emocional. Oro para que a expressão "estabilidade emocional" soe maravilhosamente em seus ouvidos e que você acredite que pode tê-la e esteja disposto a não viver sem ela.

Finalmente, aprendi que pessoas feridas ferem pessoas. E quando entendi que meu pai me feriu porque ele estava doente por dentro, pude perdoá-lo. Aprendi que o que aconteceu comigo não tinha de definir quem eu era. Meu passado não podia controlar o meu futuro, a não ser que eu permitisse. Aprendi que estava cheia de vergonha do passado e que em parte me culpava, mas que o que aconteceu comigo não era culpa minha. A culpa era minha companheira constante, assim como o medo e a preocupação. Eu sofria de muitas outras enfermidades também, mas o ponto é que cada uma delas tinha de ser enfrentada com a ajuda de Deus, e à medida que isso aconteceu, a cura veio em cada área.

Imagine vários cadarços coloridos de sapatos amarrados juntos em nós, cada um deles representando um problema diferente. Se você os entregasse a alguém e dissesse: "Por favor, desamarre essa bagunça", levaria algum tempo porque os cadarços teriam de ser desamarrados um a um. Tenho um colar que é feito de várias correntes finas com cruzes penduradas em lugares diferentes, e ele tem a tendência de ficar emaranhado quando não está sendo usado.

A Bíblia diz que as promessas de Deus se realizam por meio da fé e da paciência (ver Hebreus 10:36). Você pode se recuperar da dor do passado, das coisas que fizeram com você e dos erros que cometeu, mas será preciso um investimento de tempo da sua parte. Você pode continuar a investir na sua miséria, ou pode começar a investir na sua cura! Você vai investir em alguma coisa enquanto vive, portanto, certifique-se de que seja algo que lhe dê dividendos benéficos.

Perguntei milhares de vezes em minha vida: "Por que estou me sentindo assim?", mas eu não fazia nada a respeito. Estava apenas confusa e agia com base nos meus sentimentos em vez de tentar obter algum tipo de ajuda. O mundo está cheio de pessoas agindo assim todo o tempo. Elas procuram interagir umas com as outras em relacionamentos que absolutamente não funcionam ou que, na melhor das hipóteses, são muito disfuncionais.

É possível entender alguns dos motivos pelos quais nos sentimos como nos sentimos. Mas o mais importante é pararmos de defender o nosso mau comportamento. Precisamos abrir mão de todas as desculpas porque enquanto usarmos o passado para manipular as pessoas e as situações, jamais haveremos de ser livres dele. Eu costumava usar o meu passado como desculpa para o meu mau comportamento, mas tive de estar disposta a confrontar os problemas do passado e lidar com eles da maneira adequada para que houvesse mudança.

Uma das maneiras que Deus me ensinou a lidar com o passado foi a de confessar as promessas dele em vez de falar sobre como eu me sentia. Lembro-me de que um dia eu estava diante do espelho e disse algo assim em voz alta: "Meus pais não me amavam de verdade, e eles nunca me amarão simplesmente porque não sabem como fazer isso. Mas Deus me ama, e eu não tenho de passar minha vida lamentando alguma coisa a respeito da qual não posso fazer nada. Não vou desperdiçar a minha vida para conseguir algo dos meus pais que eles jamais saberão como me dar. O fato de eles cometerem abuso contra mim não foi culpa minha. Fui vítima, mas não vou continuar sendo vítima. Vou ter uma alma emocionalmente saudável e íntegra. Deus está me ajudando, e todos os dias estou progredindo".

Todos nós tivemos problemas dolorosos no nosso passado com os quais temos de lutar. Eles não foram culpa nossa, e não é justo sofrermos por causa do comportamento de outras pessoas. Talvez você tenha sido importunado sem piedade quando criança e ainda se sinta inseguro ou muito sensível por causa da velha dor. Talvez alguém que você amou o tenha abandonado sem explicação. Seja qual for a fonte da sua dor, Deus o ama. Você não tem de passar a vida lamentando por alguma coisa a respeito da qual não pode fazer nada! Deus o ajudará... Ele está esperando para ajudar você.

Não Fique Preso a um Momento

No seu futuro não há espaço para o seu passado, por isso encorajo-o a não ficar preso a um momento ou a um período da sua vida que já passou. Milhões de pessoas perdem o hoje porque se recusam a soltar o passado ou se preocupam com o futuro. As coisas que me aconteceram ou que aconteceram com milhões de outras pessoas na vida são infelizes, para dizer o mínimo. Esses abusos são dolorosos e realmente nos atingem. Mas podemos nos recuperar. Deus é um Deus Redentor e Restaurador. Ele promete restaurar a nossa alma, e o fará — se o convidarmos a entrar e cooperarmos com o Seu processo de cura em nossas vidas.

> O Senhor é o meu pastor; de nada terei falta. Em verdes pastagens me faz repousar e me conduz a águas tranquilas; restaura-me o vigor. Guia-me nas veredas da justiça por amor do seu nome.
>
> Salmos 23:1-3

Quando esse Salmo revela que Ele nos faz repousar e nos guia a águas tranquilas, isso me lembra de quando chegamos ao ponto em que finalmente paramos de fugir do passado e simplesmente tomamos a decisão de encará-lo e de receber a cura. Passamos tempo com Deus meditando na Sua Palavra e na Sua presença, aprendendo que Ele nos ofereceu uma nova vida, uma vida cheia de saúde para o nosso espírito, para a nossa vontade e para as nossas emoções. Quando a alma está saudável e restaurada, isso gera saúde física para nós também.

Muitas enfermidades e doenças hoje em dia são resultado do estresse. Não importa quantos médicos visitemos ou quantos remédios tomemos, podemos estar lidando apenas com os sintomas em vez de chegarmos à raiz do problema.

Isto Não É Justo

Infelizmente, o mundo está cheio de injustiças. As pessoas vão para a prisão por coisas que não fizeram. Um dos meus tios passou vinte anos na prisão por um crime que não cometeu. A esposa dele, que cometera o crime, confessou antes de morrer, e ele foi libertado. Mas infelizmente, a essa altura ele estava tuberculoso e viveu somente mais alguns anos. Lembro-me de que meu tio era um homem muito gentil e parecia não ter amargura alguma devido a essa grande injustiça. Creio que sua vida difícil, vivida com uma atitude de perdão, dava mais glória a Deus do que alguém que tem uma vida maravilhosa, mas nunca está contente.

Nosso sofrimento não agrada a Deus, mas quando temos uma atitude positiva em meio ao sofrimento, isso agrada a Deus e o glorifica. Ter uma boa atitude enquanto esperamos a justiça de Deus em nossas vidas torna o tempo de espera mais suportável.

Crianças morrem, cônjuges morrem, maridos e esposas, às vezes, são infiéis, e esposas são espancadas. Enfrentamos problemas de falta de teto, inanição, desastres naturais e muitas outras injustiças inomináveis. Mas em meio a tudo isso, Jesus é lindo e Ele é um Deus que faz justiça. A vida não é justa, mas Deus é. Ele cura os de coração partido, suas feridas e suas machucaduras. Talvez não saibamos por que as coisas acontecem como acontecem, mas podemos conhecer Deus. Podemos conhecer o Seu amor, o Seu perdão e a Sua misericórdia. Quando estamos tristes e confusos, uma das coisas muito simples, mas profundas, que podem nos ajudar é esta: olhar para as coisas boas que temos e ser gratos por elas, em vez de ficarmos presos às injustiças que sofremos. Talvez você pense: *Já ouvi essas palavras um milhão de vezes!* Mas você tem praticado esse princípio?! Conhecimento sem ação é inútil.

Muitas pessoas são tratadas injustamente; elas não merecem a dor que sentem, mas fico muito feliz porque mesmo quando passo por coisas feias e dolorosas, tenho Jesus em minha vida para me ajudar e me fortalecer. Por meio da direção dele, podemos ser feridos sem ficar amargurados. Quando somos feridos, nossas emoções sentirão isso. Podemos nos sentir irados, frustrados, desanimados ou deprimidos, mas não devemos deixar nenhum desses sentimentos nos controlar. Podemos administrar as nossas emoções com a ajuda de Deus.

> *A vida não é justa, mas Deus é. Ele cura os de coração partido, suas feridas e suas machucaduras.*

Quando estamos sofrendo emocionalmente, é fácil pensar que nunca nos recuperaremos. Mais uma vez, incentivo-o a não ficar preso a determinado momento de sua vida. Talvez você não tenha tido um bom começo na vida, mas garanto-lhe que pode ter um bom final. A esperança trará alegria para sua vida. Nunca é tarde demais para começar de novo. Deixe o passado para trás e dê um passo em direção à vida abundante que Deus enviou o Seu Filho, Jesus, para comprar para você.

Capítulo 2

Quanto do Meu Comportamento Tem a Ver com a Minha Personalidade?

As pessoas tendem a ser muito diferentes umas das outras na maneira que agem e reagem a situações específicas. Esse fato tem sido estudado em profundidade, levando à identificação de quatro tipos de personalidade básicos. Algumas pessoas têm uma personalidade mais emotiva que as outras; este grupo é chamado de sanguíneo. As pessoas sanguíneas são alegremente otimistas. São conhecidas como "a alegria da festa"; são falantes e apaixonadas. Elas tendem a não ser naturalmente tão disciplinadas e organizadas quanto algumas das pessoas que possuem os outros tipos de personalidade. Elas não sentem e expressam empolgação apenas; elas são apaixonadamente entusiasmadas e empolgadas, principalmente com relação às coisas que apreciam.

Os outros três tipos de personalidade são os coléricos, os fleumáticos e os melancólicos. Embora todos possuamos elementos de mais de um desses tipos de personalidade, a maioria das pessoas tem um tipo dominante que prevalece na sua personalidade. Não é de admirar que seja difícil para todos nós, que somos pessoas diferentes, convivermos!

A pessoa do tipo colérico, ou tipo A, é forte na sua maneira de encarar a vida. Poderíamos dizer que ela faz tudo com barulho! É definida como enfática quanto ao que quer. Quando os coléricos cometem erros, geralmente são erros que têm grande repercussão. Tomam decisões rápidas, são confiantes, e nasceram para liderar. Querem controlar e têm a tendência de ser mandões. Eles são orientados por um objetivo e encontram valor na realização. A pessoa colérica pode realizar muito na vida, mas também pode deixar um rastro de pessoas feridas ao longo do caminho. Felizmente, Deus pode usar os nossos pontos fortes e nos ajudar a disciplinar as nossas fraquezas se lhe dermos o controle. Podemos aprender a ter um temperamento controlado pelo Espírito. Caso você ainda não tenha percebido, sou uma pessoa fortemente colérica.

Dave é acima de tudo fleumático. Ele é mais tranquilo e não é nada emocional. É uma pessoa muito lógica, o que não é apenas um traço do seu tipo de personalidade, mas um traço que é inerente à maioria dos homens. Dave é muito paciente e pode esperar eternamente as coisas acontecerem. Ele nunca se preocupa; ele nunca é atormentado pela culpa. Existem algumas coisas na vida, como o seu golfe e os seus jogos de futebol, e não tirar férias em lugares frios, a respeito das quais ele é irredutível, mas, em geral, ele se agrada do que eu quiser fazer. Como ele mesmo diz, ele é adaptável. É interessante observar que os coléricos costumam casar-se com os fleumáticos. Eles são opostos, mas cada um tem algo que o outro necessita.

Depois, temos as pessoas melancólicas. Elas são criativas, talentosas e altamente organizadas. Elas precisam de um plano! Elas adoram listas! Algumas delas tendem a ficar deprimidas e desanimadas com facilidade. Elas precisam de muito encorajamento, principalmente no que se refere às suas realizações. A pessoa melancólica frequentemente casa-se com um sanguíneo e a guerra está declarada até que eles aprendam a arte de combinar suas personalidades e se beneficiarem dos pontos fortes um do outro, mas ao mesmo tempo serem pacientes com suas fraquezas.

As pessoas coléricas geralmente se irritam com os sanguíneos porque elas têm coisas a realizar e são muito sérias com os seus objetivos. O sanguíneo tem o objetivo de desfrutar a vida e se divertir. As pessoas sanguíneas são um pouco aleatórias e não se adaptam bem a programações. Se algum dia fizessem uma lista, provavelmente não saberiam onde encontrá-la se precisassem dela.

Tenho uma funcionária que é uma grande amiga minha e uma pessoa maravilhosa do tipo sanguíneo. Por acaso ela também é minha cabeleireira, e quando está arrumando o meu cabelo, em 45 minutos fico sabendo de tudo sobre seus vizinhos, os bichos de estimação deles, suas doenças e seus carros. Fico sabendo o que ela viu a caminho do trabalho e recebo um relatório completo do tempo e do trânsito. Sei até o índice de pólen na atmosfera. Se lhe pedir uma receita, ela tira uma porção de coisas de sua bolsa e começa a vasculhar dentro dela. Às vezes, ela encontra a receita; na maioria das vezes, não. Ela fala e ri sem parar, e finalmente digo a ela que já chega e ela fica quieta por alguns minutos — e depois começa tudo de novo. Porém, eu a amo e a aprecio! Somos diferentes, mas precisamos uma da outra. Ela me impede de ser tão tensa, e eu de ela ser tão perigosamente desorganizada. Ela tem um telefone, mas fico surpresa quando ela o atende, enquanto eu, entretanto, levo o meu comigo até ao banheiro.

Estar perto de uma pessoa sanguínea por muito tempo é algo que algumas vezes me irrita, mas tenho certeza que também as irrito. Os que são profundamente melancólicos são um pouco difíceis para a maioria das pessoas coléricas também. Os pontos fortes deles são vitais para nós, mas sua necessidade de perfeição pode ser um pouco opressiva.

Todos os tipos de personalidade têm pontos fortes e fracos. Como eu disse, a maioria de nós tem um misto de traços de personalidade. Temos um traço mais proeminente e um pouco ou mais dos outros. Meu teste de personalidade mostra que dos 40 pontos totais, tenho 38 pontos como colérica, um ponto como fleumática e um ponto como sanguínea. Meu marido é fleumático, colérico às vezes, e também melancólico no que se refere a manter suas coisas em ordem. Você não iria querer mexer nas coisas do Dave. Ele leva uma sacola de bonés de golfe quando viajamos, e se alguém os amassa, oramos depressa por essa pessoa porque ninguém toca nos bonés de golfe do Dave. Bonés de golfe não são importantes para mim, mas são importantes para ele. Do mesmo modo, existem muitas coisas que, para mim, são importantes e para ele, absolutamente não importam. Aprendemos a respeitar as diferenças um do outro em vez de nos esforçarmos para mudar um ao outro.

Todos são lindos à sua própria maneira, e felizmente Deus nos dá a capacidade de convivermos se estivermos dispostos a aprender acerca das nossas diferenças e demonstrarmos um verdadeiro amor uns pelos outros.

Qual É o Seu Tipo?

Uma das coisas mais valiosas na vida é conhecer a si mesmo. Se você é sanguíneo, saiba simplesmente que vai precisar tomar cuidado para não permitir que suas emoções governem a sua vida.

Não compre coisas emocionalmente, não fale emocionalmente, não coma emocionalmente, nem tome decisões sérias depressa demais. Pense no que está fazendo antes de assumir compromissos e anseie pelo equilíbrio em vez de permitir que suas emoções o controlem. Por que você se sente como se sente? Pode ser o seu temperamento, mas não o use como desculpa para deixar as emoções governarem você.

Se você é colérico, tome cuidado para não tentar controlar as situações e as pessoas. Se é melancólico, sua mente pode lhe dar muito trabalho porque você pensa muito e quer que tudo seja feito de uma maneira muito específica. Se você é fleumático, talvez precise confrontar coisas que preferiria ignorar, ou se levantar e fazer algumas coisas dentro de casa quando preferiria ficar sentado em uma cadeira. Todos nós precisamos nos esforçar para ter equilíbrio em todas as coisas.

Mencionei que os testes de personalidade revelam que tenho um ponto do temperamento sanguíneo, o que significa que tenho a tendência de ser mais séria e não muito bem-humorada, mas quando ensino e prego a Palavra de Deus, as pessoas dizem que sou muito engraçada. Isso prova que quando permitimos que Deus controle a nossa personalidade, ficamos mais equilibrados. Posso ter a tendência de ser séria demais, mas quando Deus flui através de mim, torno-me mais engraçada. Amo a maneira como Deus nos ajuda em todas as nossas fraquezas se permitimos que Ele faça isso.

> Oro para que, com as suas gloriosas riquezas, ele os fortaleça no íntimo do seu ser com poder, por meio do seu Espírito.
> **Efésios 3:16**

Relacionei uma lista de livros sobre o assunto das personalidades no fim deste livro, caso você queira aprender mais sobre os tipos básicos e seus pontos fracos e fortes. Estudar essa área ajudou-me imensamente a conviver com pessoas de todos os tipos de temperamentos e a gostar delas.

O apóstolo Paulo afirmou que havia aprendido a ser todas as coisas para com todas as pessoas. Creio que podemos aprender a dar às pessoas o que elas precisam compreendendo-as. Também creio que poderemos administrar melhor as nossas emoções se entendermos a nós mesmos.

Muitas respostas às questões da vida encontram-se simplesmente em entendermos mais sobre nós mesmos.

Decisão e confissão: *Seja qual for o meu tipo de personalidade, eu me lembrarei de que agora sou uma nova criatura em Cristo.*

Capítulo 3

Diga a Alguém Como Você se Sente

Todos nós temos um desejo natural de contar a alguém como nos sentimos, mas dizer isso à pessoa errada só piora os nossos problemas. Falar excessivamente sobre uma situação pode facilmente nos desviar para a reclamação, e isso é pecado. Dedique tempo para ler estas passagens bíblicas e realmente refletir no que elas estão dizendo:

> Não pratiquemos imoralidade, como alguns deles fizeram — e num só dia morreram vinte e três mil. Não devemos pôr o Senhor à prova, como alguns deles fizeram — e foram mortos por serpentes. E não se queixem, como alguns deles se queixaram — e foram mortos pelo anjo destruidor.
>
> **1 Coríntios 10:8-10**

Esses versículos seriam assustadores se não nos lembrássemos de que vivemos na era da graça, e temos condições de nos arrependermos e de recebermos o perdão rapidamente. Mas é interessante observar o problema sério que a reclamação representa. Por quê? Porque Deus é infinitamente bom, e Ele espera que permaneçamos gratos mesmo em meio às dificuldades de qualquer espécie. Talvez não seja fácil, mas Ele espera isso ainda assim.

Capítulo 3

Em nossa busca por falar com alguém sobre o que está nos angustiando, precisamos tomar cuidado para não começarmos a reclamar ou para não cometermos o erro de falar com a pessoa errada. Talvez você pergunte: Quem é a pessoa certa? Se você realmente precisar conversar de uma maneira saudável e talvez quiser que um bom amigo ore por você, sugiro que escolha um amigo de confiança, um membro da família ou um líder espiritual. Não repita sem parar como você se sente. Apenas expresse os seus sentimentos e siga em frente lembrando a si mesmo que Deus pode curá-lo e resolver a situação que o aflige.

Se a situação é séria e você parece estar imobilizado diante dela, considere a hipótese de procurar aconselhamento profissional. Esse tipo de conversa pode ser saudável porque o conselheiro tentará ajudá-lo a encarar problemas reprimidos que podem estar gerando emoções doentias em sua vida. Esses problemas podem ser venenosos, e é necessário tirá-los de dentro do seu organismo. A partir de então, você pode seguir em frente, em direção à vida abundante que Deus quer que você tenha. Creio que algumas pessoas pagam um conselheiro durante anos e anos apenas para ter alguém com quem falar. Mas esse não é o verdadeiro aconselhamento. O verdadeiro aconselhamento o ajuda a enfrentar a verdade, e quando isso acontece, o trabalho de cura pode então ter início.

Conversar com um conselheiro pode ser algo bom, mas nunca se esqueça de que a melhor pessoa para conversar é Deus.

Acho os Salmos escritos por Davi muito interessantes porque ele não era reservado em dizer a Deus exatamente como se sentia. Mas Davi também continuava dizendo que confiava que Deus seria fiel em cumprir as Suas promessas. Muitas vezes, ele até lembrava a Deus alguma coisa que Ele prometera na Sua Palavra. Vamos ver apenas uma passagem da Bíblia como exemplo:

> Até quando, ó Senhor, te esquecerás de mim? Para sempre? Até quando esconderás de mim o teu rosto? Até quando

encherei de cuidados a minha alma, tendo tristeza no meu coração cada dia? Até quando o meu inimigo se exaltará sobre mim?

Considera e responde-me, ó Senhor, Deus meu; alumia os meus olhos para que eu não durma o sono da morte; para que o meu inimigo não diga: Prevaleci contra ele; e os meus adversários não se alegrem, em sendo eu abalado.

Mas eu confio na tua benignidade; o meu coração se regozija na tua salvação. Cantarei ao Senhor, porquanto me tem feito muito bem.

Salmos 13:1-6 AA

Se eu parafraseasse o texto mencionado na linguagem de hoje, ele soaria mais ou menos assim: "Deus, estou sofrendo tanto, sinto que vou morrer. Quanto tempo o Senhor vai esperar até fazer alguma coisa por mim? O Senhor quer que os meus inimigos digam que venceram? Deus, confiei em Ti e vou continuar a fazer isso. Deixa-me ver a Tua face mesmo em meio aos meus problemas para que eu possa ser encorajado. Sinto-me péssimo, Deus, mas vou me alegrar e ter uma atitude positiva por causa da Tua salvação e das Tuas promessas de amor e misericórdia. Vou cantar para Ti porque Tu és bom".

Quero ensinar-lhe a dominar suas emoções em vez de permitir que elas o dominem.

Esse Salmo descreve o princípio que estou apresentando neste livro. Não temos de negar que as nossas emoções existem, mas não devemos permitir que elas nos controlem. As nossas emoções não precisam controlar as nossas decisões. Nem sempre podemos mudar a maneira como nos sentimos, mas podemos escolher o que faremos em cada situação. Podemos confiar em Deus para equilibrar as nossas emoções enquanto fazemos as escolhas certas.

Creio que foi saudável para Davi tanto espiritual quanto fisicamente expressar para Deus como ele realmente se sentia. Foi uma maneira de liberar seus sentimentos negativos para que eles não pudessem prejudicar o seu homem interior enquanto estava esperando a libertação de Deus. Observei que Davi costumava dizer como se sentia ou qual era a situação em que ele se encontrava, e depois ele dizia: "*Mas* confiarei em Deus. Louvarei a Deus, que me ajuda."

Jamais sugeriria que você sufocasse os seus sentimentos dentro do peito e simplesmente deixasse que eles o corroessem por dentro. Meu propósito não é encorajá-lo a ser falso e fingir que está tudo bem enquanto ferve de raiva por dentro ou se sente tão desanimado a ponto de achar que vai explodir. Pessoas que reprimem a dor e nunca aprendem a lidar com ela da maneira adequada, tendem a reagir explodindo ou implodindo, e nenhuma dessas duas escolhas é boa. Não queremos negar a existência das emoções, mas podemos negar a elas o direito de nos governarem.

Meu propósito é fazer você se expressar sinceramente para Deus ou para uma pessoa que Deus quiser usar, e levá-lo a expressar-se da maneira de Deus. Quero ensinar-lhe a dominar suas emoções em vez de permitir que elas o dominem.

Alguma Coisa Está Estragada

Você já abriu a porta da geladeira e sentiu um cheiro que o fez dizer: "Tem alguma coisa estragada aqui"? Estou certa de que a maioria de nós já teve essa experiência, e quando isso acontece, sabemos que se não descobrirmos qual é a causa do problema, o cheiro só vai piorar. Há pouco tempo, tomei café com uma amiga e fiquei surpresa ao ouvir algumas coisas que ela disse sobre a sua igreja. Ela expressou seu descontentamento sobre diversas coisas, e fez isso de uma maneira crítica e julgadora. Naquele dia, saí dali pensando: *Alguma coisa não está certa no coração dela*. Ouvi palavras de ciúmes, de descontentamento, de crítica e de amargura. Ela estava discutindo sobre o ministério de adoração da igreja, e ficou óbvio para mim que ela estava ofendida por ter sido ignorada para o cargo de líder do louvor.

Procurei fazê-la ver que sua atitude não era certa, mas ela não estava pronta para se arrepender pela maneira como estava agindo. Sei, sem dúvida alguma, que ela falara com muitas outras pessoas e acabou disseminando sua atitude crítica junto a elas. Eu estava ciente de que a atitude dela cheirava mal e que só iria piorar, a não ser que ela limpasse seu coração. Vários meses mais tarde, ela acabou caindo em pecado de uma forma grave. A porta para o pecado pode ter sido aberta em sua vida por meio de uma atitude errada para com os outros. O mau cheiro que exalava de suas emoções tornou-se uma infecção que causou problemas muito graves.

Todo aquele mal poderia ter sido evitado se ela tivesse falado com Deus em vez de falar com os outros. Ela não falou comigo nem com ninguém para genuinamente obter ajuda, ela simplesmente reclamou. E já vimos a atitude de Deus para com esse tipo de coisa. Se ela tivesse buscado a Deus como Davi o fez, poderia ter dito algo do tipo: "Deus, estou irada porque fui ignorada para ocupar a posição de líder do louvor. Admito, Senhor, que estou com ciúmes e acho que isso foi injusto. Mas vou colocar a minha confiança em Ti. A verdadeira promoção vem de Ti, e creio que se me quiseres nessa posição, Tu podes com certeza me colocar ali. Enquanto espero em Ti, eu Te louvarei e apoiarei a equipe que foi escolhida."

Lidando com a situação dessa maneira, ela poderia ter se expressado honestamente, mas mantido a sua integridade e a sua justiça espiritual. Ela poderia ter administrado suas emoções em vez de deixar que elas a dominassem.

Quando você se sente cansado como um cão à noite, talvez seja porque tenha rosnado o dia inteiro.

Autor desconhecido

Capítulo 3

Não Cante a Tristeza

Li uma história interessante em um livro intitulado *Child of the Jungle* [Filha da selva]. Um missionário e sua família viviam na tribo Fayu, na Nova Guiné. Sabine, a filha do missionário, escreveu o seguinte:

 Quando nos mudamos para viver com os Fayu, nós nos perguntávamos se eles conheciam alguma música, já que nunca os ouvíramos cantar. Essa pergunta foi respondida bem depressa. Havíamos acabado de voltar de Danau Bira, e nossas coisas foram roubadas mais uma vez. Enquanto fazíamos uma lista das nossas perdas, ouvimos um canto vindo do outro lado do rio. Era Nakire cantando um adorável som repetitivo. "Ohhhhhhh", ele cantava. "Os Fayu são como pássaros. Ohhhh, eles sempre extraem algo da mesma árvore. Ohhhh, que gente má. Ohhhh, pobre Klausu, pobre Doriso. Eles estão tão tristes e querem saber onde as coisas deles estão. Ohhhh..."

Papai ficou maravilhado porque ficou claro para nós que os Fayu simplesmente improvisam uma canção para adaptar-se à situação deles. As canções consistem apenas de três notas com as quais eles expressam o que estiverem sentindo naquele momento. Não é a música mais sofisticada, mas é um som que passei a amar muito depressa.

O uso de canções para se expressar pode ser um dos motivos pelos quais os Fayu não parecem sofrer de depressão ou de outros distúrbios psicológicos. Os sentimentos são expressos imediatamente. Há até momentos separados para liberar as emoções, como por exemplo, o cântico de lamento. Quando o cântico de lamento chega ao fim, a lamentação realmente termina, e a vida volta ao normal.

Quando uma pessoa passava por um acontecimento traumático, ela podia ficar deitada por semanas em sua cabana, sem dizer uma palavra além de cantar por horas seguidas. Durante esse período, outros membros do clã a supriam com comida. Então, um dia, ela simplesmente se levantava deixando o trauma para trás. Purificada da sua dor, ela retomava sorridente para suas tarefas diárias.

E se começássemos a fazer as nossas canções? "Ohhhhh, estou tão infeliz porque meu marido perdeu o emprego e não sei o que vamos fazer. Ohhhh, não entendo por que meus amigos são abençoados e eu sempre estou com problemas. Ohhhh, quando a minha situação vai mudar? Ohhhh, tenho vontade de fugir de tudo. Ohhhh, sim, tenho vontade de fugir."

Depois de me ouvir pregar em um seminário, certa jovem de nossa equipe fez uma canção sobre a sua sinusite. Era mais ou menos assim: "Ohhhh, estou tão cansada de estar com o nariz entupido. Eu só quero respirar; sim, quero respirar facilmente. Não é justo eu ser alérgica ao espaço onde vivo. Ohhhh, isto não é justo".

Estou certa de que você conseguiu captar a ideia. Cantar os seus verdadeiros sentimentos pode ajudá-lo, mas diga sempre a Deus que está confiando nele para consertar as coisas que estão erradas.

Esse é o mesmo princípio que Davi praticava. Os Salmos são cânticos; são palavras colocadas em música. E eles foram a maneira de Davi se expressar sinceramente para com Deus. Somos encorajados na Bíblia a cantarmos a Deus um novo cântico (ver Salmos 96:1).

Talvez parte desses novos cânticos entoados por nós deva ser uma expressão sincera de como nos sentimos. Expressando nossas emoções da maneira adequada, poderemos evitar muitos problemas psicológicos, assim como a tribo Fayu fazia.

Nossa Sociedade de Plástico

Você já sentiu que vivemos em uma sociedade de plástico? Usamos cartões de plástico para fazer compras, o que nos dá a ilusão de que somos donos do que compramos e levamos para casa, mas a verdade

Capítulo 3

é que, enquanto tivermos um saldo devedor no cartão de crédito de plástico, ele é que nos possui. Os cartões de crédito são fáceis de usar, mas quando a conta chega, ficamos muito impressionados vendo o quanto gastamos, e a ilusão que tínhamos desaparece.

Geralmente, parece que possuímos o que na verdade não possuímos. Muitos de nós trabalhamos em empregos que detestamos simplesmente porque eles nos dão títulos e uma sensação de sermos importantes. Podemos fazer uma cirurgia plástica ou uma lipoaspiração; podemos pintar o cabelo ou usar perucas ou apliques. Com um orçamento ilimitado, poderíamos fazer praticamente qualquer coisa que quiséssemos para modificar a nossa aparência. Podemos colocar um sorriso de plástico e dizer ao mundo que estamos bem enquanto por dentro estamos desmoronando. É tudo uma ilusão.

Quando perguntamos às pessoas como elas estão, a resposta geralmente é: "Tudo bem", mas a pessoa na verdade pode estar fora de si, insegura, neurótica e desajustada. Como cristãos, costumamos achar que devemos nos sentir melhor do que nos sentimos, ou que é errado nos sentirmos como estamos nos sentindo, então escondemos os nossos sentimentos de nós mesmos. Fingimos ter fé enquanto estamos cheios de dúvidas. Fingimos estar felizes enquanto somos infelizes; e fingimos ter tudo sob controle, mas em casa, por trás das portas fechadas, somos pessoas totalmente diferentes. Não queremos admitir que estamos vivendo uma vida falsa, então ficamos ocupados o suficiente para nunca termos de lidar com as coisas como elas realmente são. Podemos até nos sufocar com o trabalho da igreja ou com atividades espirituais como uma maneira de nos escondermos de Deus. Ele está querendo nos mostrar a verdade, mas preferimos trabalhar para Ele a ouvi-lo.

Deus deseja apenas que sejamos sinceros e verdadeiros. Não caia na armadinha de pensar que todos os seus sentimentos são errados. Ser uma pessoa de fé não significa nunca ter sentimentos negativos ou que não procedem de Deus. Temos sentimentos que precisam ser tratados, mas podemos sempre exercitar a nossa fé em Deus e pedir-lhe para nos ajudar a não permitirmos que os nossos sentimentos nos controlem. A Bíblia diz que vivemos por fé e não por vista (ver 2 Coríntios 5:7). Isso significa que não tomamos decisões com base no que vemos ou sentimos, mas de acordo com a nossa fé em Deus e nas Suas promessas feitas a nós. Não creio que abrigar determinados sentimentos seja pecado, desde que estejamos falando com Deus a respeito desses sentimentos e obtendo a força dele para escolher agir com base na Sua Palavra e não na maneira como nos sentimos. A Bíblia diz para nos irarmos, mas não pecarmos. Significa literalmente que você pode ficar irado com uma injustiça, mas se tratar do assunto da maneira adequada, sua ira não se tornará um pecado (ver Efésios 4:26).

A verdade nos liberta. Devemos andar na verdade, viver na verdade, e acima de tudo, ser verdadeiros com Deus e conosco mesmos. A Bíblia também diz que devemos rejeitar toda falsidade; todos devem expressar a verdade com o seu próximo (ver Efésios 4:25). Não creio que isso signifique que devemos "soltar o verbo" para todos que encontramos a respeito de tudo que sentimos e que fizemos na vida, mas que não podemos ter relacionamentos de plástico construídos com base no fingimento.

Decisão e confissão: *Serei autêntico e verdadeiro na minha caminhada com Deus e com o meu próximo.*

Capítulo 4

Nossos Segredos nos Deixam Doentes

Lembro-me de um período em que trabalhei intensamente por tanto tempo e estava cercada de tantas pessoas que queriam um pedaço de mim, que um dia passei de carro pela sede do meu escritório e coloquei a língua para fora para ele. Àquela altura, eu nem queria ouvir falar no nome Joyce Meyer. Queria ir fazer compras no mercado, fazer um bolo ou varrer o chão. Queria fazer qualquer coisa que me desse a sensação de ser apenas uma pessoa. Eu havia me permitido ficar desequilibrada tentando "estar à disposição" das pessoas, e estava me deteriorando emocionalmente por causa do estresse. Mas depois de algum tempo de descanso e de uma mudança de ritmo, estava inteira novamente e pronta para voltar a trabalhar.

Creio que muitas pessoas, principalmente aquelas que estão na mídia, podem desenvolver facilmente o hábito de viver uma vida dupla. Elas tentam ser o que todos querem que sejam e, no entanto, lá no fundo, querem privacidade e liberdade de ser simplesmente elas mesmas. A verdade é que essas pessoas querem as duas coisas. Elas amam o que fazem; nasceram para liderar, atuar, cantar ou ensinar, mas precisam de equilíbrio. Se negarem as próprias necessidades e viverem apenas para agradar às outras pessoas, com o tempo elas entrarão em desequilíbrio de alguma maneira.

Amo as pessoas. Gosto de estar com elas e ser disponível para elas. Mas por mais que apreciemos o que fazemos, de tempos em tempos precisamos de uma pausa e de uma mudança de ritmo. Um dos motivos pelos quais nos sentimos infelizes ou angustiados, às vezes, é simplesmente porque somos impelidos por uma necessidade de agradar a todos e de ser aceitos por eles. Não devemos deixar as pessoas nos manipularem. Não podemos deixar as expectativas dos outros nos controlarem. É impressionante o quanto tememos ser totalmente sinceros com as pessoas. Até mesmo quando decidi contar a minha pequena história sobre colocar a língua para fora para o meu escritório, perguntei-me se podia ser sincera sobre isso e não decepcionar as pessoas. Decidi acreditar que os meus leitores são maduros o suficiente para entenderem que embora eu realmente ame o que faço, há momentos em que fico cansada e quero simplesmente relaxar e ter tempo para mim.

Um dos meus filhos passou por um tempo especialmente difícil por ser o "filho da pregadora". Perguntei-lhe, quando já era mais velho, qual foi a coisa mais difícil para ele, e depois de pensar bastante, ele disse: "As expectativas das pessoas." Ele me disse que as pessoas sempre esperavam que ele não fosse um garoto normal que cometia erros como qualquer garoto. Elas esperavam mais dele por ser meu filho. Se ele conversasse na aula, o professor dizia: "Eu esperava mais do filho de Joyce Meyer". Que tolice esse professor exercer esse tipo de pressão sobre ele. Embora fosse meu filho, ele ainda tinha de crescer e aprender como qualquer garoto.

Às vezes, as expectativas das pessoas não são nada realistas, e se nós permitirmos, elas irão nos pressionar terrivelmente. Não desenvolva uma "vida de plástico" nem se encha de segredos que o deixem doente apenas para atender às expectativas dos outros. Viva sinceramente e com verdade, e Deus lhe dará os amigos certos que o encorajarão a ser verdadeiro e genuíno.

Esforçando-se para ser sincera, uma mulher certa vez me disse: "Senti que precisava confessar-lhe que eu não gostava de você havia

Capítulo 4

anos e que fiz fofocas a seu respeito, e gostaria que me perdoasse." Perdoei-a, mas o que ela fez foi uma tolice. Ela limpou a consciência dela jogando o problema sobre mim. Agora eu tinha de lidar com a situação e resistir à tentação de imaginar por que ela não gostava de mim, o que disse a meu respeito, e com quem havia falado. Esse não é o tipo de sinceridade da qual Deus está falando. Existem algumas coisas que devíamos guardar para nós mesmos por uma questão de sabedoria. Queremos viver com verdade, mas a Bíblia realmente nos diz para falarmos a verdade em amor. Muitas vezes me perguntei que tipo de amor a levou a compartilhar o seu segredo comigo. Existem algumas coisas que deveriam ser mantidas entre você e Deus, enquanto outras precisam ser trazidas à luz.

Conheço um homem cristão que teve um caso extraconjugal. Quando decidiu que não queria deixar sua esposa para ficar com a outra mulher, ele decidiu também que não iria contar à esposa sobre aquela aventura. Sua mulher sabia havia algum tempo que alguma coisa estava errada e até lhe perguntou diversas vezes se ele estava saindo com outra pessoa. Era impossível construírem um relacionamento saudável baseado em mentiras. Disse-lhe que ele tinha de ser totalmente sincero com a esposa e orar a fim de que ela encontrasse graça para perdoá-lo e tentar reconstruir seu casamento.

Se ele tentasse seguir em frente em meio ao engano, provavelmente acabaria fazendo a mesma coisa novamente. O que escondemos continua exercendo autoridade sobre nós e gera medo. O problema dele ainda tinha de ser tratado. Ele precisava de aconselhamento para descobrir por que fora infiel à sua esposa. O homem não podia ignorar a situação e lidar com ela ao mesmo tempo. Aquele era um segredo que teria feito ele e seu casamento adoecerem.

Tenho um exemplo em minha vida que pode ser útil. Quando eu tinha 20 anos, e isso foi há muito tempo, roubei dinheiro de uma empresa para a qual trabalhei. O homem com quem eu estava casada era um ladrão barato, e ele me convenceu a fazer alguns cheques, uma vez que eu era a pessoa responsável pela folha de pagamentos.

Nós sacaríamos o dinheiro e sairíamos da cidade rapidamente. Não o estou culpando, porque eu deveria ter dito "não", mas há momentos na vida em que deixamos as pessoas que amamos nos convencerem de coisas contrárias a nossa consciência. Quando agimos assim, as coisas sempre acabam mal.

Realmente, descontamos os cheques e saímos da cidade, mas acabamos voltando e, sem dúvida, uma investigação estava sendo feita sobre o dinheiro roubado. Fui interrogada, contei mais mentiras, e escapei de ser acusada pelo crime. Meu marido me enganou com outras mulheres, roubou alguns bens, e finalmente foi preso. Nós nos divorciamos. Muitos anos depois, casada com outra pessoa e prestes a entrar para o ministério, eu sabia que tinha de ir até a empresa de onde roubara, admitir o meu erro, e devolver o dinheiro. Uau! E se eles mandassem me prender? Eu estava muito assustada, mas sabia que tinha de obedecer a Deus. Eu não podia seguir em frente até que aquele erro do meu passado fosse confrontado.

Fui até a empresa e expliquei o que fizera e que eu agora era uma cristã, portanto queria pedir perdão e devolver o dinheiro roubado. Eles agiram com graça e me permitiram fazer isso, e fiquei livre do medo perturbador de que um dia eu pudesse ser apanhada. Estou convencida de que se não tivesse obedecido a Deus, não estaria no ministério hoje. Deus está disposto a nos perdoar por qualquer coisa, mas precisamos confessar nossos erros e restituir a quem devemos sempre que possível.

Se Deus lhe disser para trazer algum assunto à tona, ou para confrontar uma situação do seu passado, seja obediente. Ele está lhe dizendo que esse problema o está impedindo de receber o melhor de Deus para você. Ore sempre a respeito de quando e como confrontar as coisas, principalmente aquelas que estão enterradas há muito tempo. Lembre-se, a estabilidade emocional vem quando aprendemos a viver na verdade.

> *Se Deus lhe disser para trazer algum assunto à tona, ou para confrontar uma situação do seu passado, seja obediente. Ele está lhe dizendo que esse problema o está impedindo de receber o melhor de Deus para você.*

Capítulo 4

Depois de ler essas palavras, talvez você sinta que alguma coisa escondida em seu interior está envenenando a sua vida e você quer confrontá-la, mas não tem certeza se isso seria o melhor para todos os envolvidos. Sugiro que ore primeiro, e se ainda não souber com clareza que atitude tomar, fale com um líder espiritual de sua confiança e busque aconselhamento. Como mencionei, queremos sempre falar a verdade em amor, e queremos que essa atitude encerre a questão, e não que ela resulte em mais feridas.

Não Ouse Contar

Ficaríamos impressionados se soubéssemos quantas pessoas na nossa sociedade estão doentes mentalmente, fisicamente ou emocionalmente por carregarem segredos enterrados dentro de si, os quais as corroem como um câncer. Se você é uma dessas pessoas, comece a falar com Deus, e Ele o aliviará completamente do seu fardo, ou então o instruirá quanto ao que você deve fazer em seguida. É perigoso simplesmente ignorar coisas que precisam ser tratadas.

A vontade de Deus para todos nós é que sejamos íntegros. Não é a vontade dele que vivamos com a alma cheia de buracos enquanto assistimos a nossa vida escoar por eles dia após dia. Trazer as coisas ocultas à tona com certeza é difícil muitas vezes, mas é muito mais difícil mantê-las escondidas e conviver com o medo de sermos descobertos. Talvez você precise conversar com um líder espiritual de confiança, com um membro amoroso da família, com um amigo ou com um conselheiro. Deus dirigirá os seus passos se você for até Ele e lhe disser que está totalmente disposto a parar de deixar que os segredos o adoeçam. Ter um relacionamento íntimo com Deus significa que pode e deve falar com Ele aberta e sinceramente sobre absolutamente qualquer coisa. Quanto mais falar com Deus, tanto melhor será para você.

Durante os anos que sofri abuso, costumava falar com Deus. Embora eu fizesse isso à minha maneira infantil e não muito educada, o fato é que eu não podia falar com ninguém mais. Mas eu falava com Deus, e creio que isso me ajudou a atravessar aqueles anos difíceis.

Um motivo pelo qual achamos tão difícil contar os nossos segredos é porque em geral é difícil encontrar alguém em quem podemos confiar para falar. Não podemos controlar o que os outros fazem, mas podemos aprender a ser um amigo fiel. Se alguém lhe contar alguma coisa em confiança, nunca conte isso a ninguém. Se alguém lhe contar algo que o deixe chocado ou surpreso, faça o máximo para não agir como se estivesse chocado ou surpreso e não julgue essa pessoa. A finalidade de trazer as coisas à tona é a restauração, e não a crítica e o julgamento.

> Irmãos, se alguém for surpreendido em algum pecado, vocês, que são espirituais, deverão restaurá-lo com mansidão.
> Cuide-se, porém, cada um para que também não seja tentado. Levem os fardos pesados uns dos outros e, assim, cumpram a lei de Cristo.
> Gálatas 6:1-2

A lei de Cristo é o amor. Se todas as coisas forem feitas em amor, elas serão sempre feitas da maneira adequada. Deus é paciente e longânimo, e devemos sempre nos esforçar para sermos como Ele é. Temos de tratar as pessoas que nos procuram para contar seus segredos como gostaríamos de ser tratados.

Pessoas Que Têm Segredos

Margaret teve um filho aos 15 anos, e seus pais a obrigaram a entregar o bebê para adoção. Aquilo não fora sua escolha, mas sua família a convenceu de que seria o melhor para todos os envolvidos. Margaret cresceu, casou-se e teve mais quatro filhos. Ela nunca contou a ninguém sobre a garotinha que entregara para adoção quando tinha 15 anos.

Capítulo 4

Os anos se passaram e as leis da adoção mudaram, permitindo que os filhos adotados entrassem em contato com seus pais biológicos. Certo dia, Margaret estava em casa sozinha e a campainha tocou. Ela abriu a porta e viu uma bela jovem que disse que era sua filha. A alegria e o medo tomaram conta de Margaret ao mesmo tempo. Ela reagiu de uma forma emocional, e sem realmente pensar no que estava fazendo, disse à jovem que ela estava enganada e pediu-lhe que nunca mais voltasse. A menina foi embora triste e com o coração partido, sentindo-se ainda mais rejeitada.

Durante os dois meses que se seguiram, Margaret foi ficando cada vez mais infeliz à medida que os dias se passavam. Ela teve uma série de problemas de saúde ao longo dos anos que os médicos com frequência lhe diziam serem causados pelo estresse, mas Margaret nunca associara seu segredo ao estresse. Agora ela estava tendo dores de cabeça agonizantes e insônia. Sua família percebeu que alguma coisa estava errada e continuou a pressioná-la para lhes dar uma resposta. Finalmente, Margaret sentiu que iria morrer se não contasse a verdade, então disse ao seu marido e a seus filhos sobre o bebezinho. Para a sua surpresa, eles não ficaram zangados. A única decepção deles foi o fato de ela não confiar no amor deles o suficiente para lhes contar a verdade. Os filhos lamentaram o fato de terem uma irmã que nunca haviam visto e quiseram conhecê-la.

Margaret escondeu por muitos anos um segredo que não era necessário esconder. Ela estava convencida de que sua família a rejeitaria se soubesse da verdade, mas descobriu que eles a amavam o suficiente para aceitar sua imperfeição. Eles procuraram e encontraram a menina, que agora era uma mulher e chamava-se Meredith. Felizmente, ela fora adotada e criada por pais que a amavam muito. Meredith sentiu que Deus a estava dirigindo para encontrar sua mãe biológica, e embora fosse necessária uma boa dose de cura emocional, todos se recuperaram e as duas famílias passaram a ser amigas. É impressionante o que Deus pode fazer se formos sinceros e confiarmos nele.

Durante os anos em que sofri abuso sexual por parte de meu pai, ele sempre enfatizava que aquilo tinha de ficar em segredo. Era definitivamente um segredo, que acabou deixando-me mental e emocionalmente doente. Ele dizia que se eu contasse às pessoas, elas não acreditariam em mim e aquilo simplesmente criaria problemas para todos. Ele me garantia que não tinha nada de errado com o que estava fazendo, mas que as pessoas simplesmente não entenderiam. Eu ainda não havia aprendido que se for necessário esconder alguma coisa, geralmente isso significa que algo está errado. Muitos e muitos anos depois, quando finalmente confrontei meu pai, ele tentou me dizer que não sabia que o que estava fazendo era errado, e que não fazia ideia de que aquilo estava me ferindo. Mas ficou óbvio para mim que se ele não soubesse ser errado, ele não teria me dito para guardar segredo.

Minha mãe sabia o que meu pai estava fazendo, mas não confrontou o assunto, e o segredo a deixou doente. Depois de anos escondendo-se da verdade por ter medo do escândalo, ela teve um esgotamento nervoso e precisou fazer um tratamento de choque por dois anos. Seus nervos foram prejudicados pelo trauma de guardar o segredo por tantos anos, e desde então ela tomava remédios para ansiedade. O seu medo obrigou-a a guardar um segredo que a deixou doente.

Não contei o meu segredo a ninguém até estar com quase 23 anos, e lembro que eu tremia violentamente toda vez que tentava falar sobre o assunto. Ele estava enterrado tão profundamente dentro de mim que era difícil trazer aquilo à tona. Eu sentia um medo terrível do que as pessoas pensariam a meu respeito, mas descobri que a maioria das pessoas era muito compassiva. Meu marido foi maravilhoso e, nos anos seguintes, quando contei para os meus filhos, eles naturalmente também foram maravilhosos. Conheci mulheres de 80 anos que sofreram abuso sexual e que nunca contaram a ninguém. Que triste para elas não terem conhecido o valor de dizer a verdade! Estou certa de que a maioria delas vivia com uma personalidade disfuncional tendo o medo como companhia constante.

Capítulo 4

Sally foi prostituta por sete anos, e durante esse período ela fez três abortos. Aquele foi o estilo de vida no qual ela entrou depois de ter se envolvido com drogas quando era adolescente. Ela finalmente resolveu o problema e tentou acertar a vida, mas parecia que fracassava em tudo. Aos 40 anos, ela se casara e se divorciara três vezes. Ela teve dois filhos, mas seus pais ficaram com a guarda deles porque Sally sempre voltava para as drogas e para o álcool. Ela realmente queria ficar bem, mas guardava seus segredos. Por fim, ela teve um colapso mental e físico completo, e enquanto estava no hospital, conheceu uma enfermeira cristã maravilhosa que a levou a ter um relacionamento com Deus. Quando ela entendeu que Deus a amava e que perdoara seus pecados, ela pôde trazer seus segredos de prostituição e abortos à tona. As pessoas que ela ferira ao longo do caminho não estavam tão dispostas a perdoá-la quanto ela esperava, mas Sally finalmente pôde começar uma nova vida e construir uma nova família. Ela continua confiando em Deus para curar o seu relacionamento com os outros dois filhos.

Estas histórias nos mostram que os segredos abrem a porta para o medo e a preocupação. Quero que saiba que você não precisa viver com segredos que dão poder às emoções negativas de lhe controlarem. Nossos sentimentos são reais e poderosos, mas eles não são mais poderosos do que Deus e a verdade. Qualquer pessoa pode ter saúde emocional se aprender os princípios deste livro e colocá-los em ação em sua vida. Lembre-se sempre de que a verdade libertará você.

> *Nossos sentimentos são reais e poderosos, mas eles não são mais poderosos do que Deus e a verdade.*

Decisão e confissão: *A verdade vai me libertar.*

Capítulo 5

Gostaria de Não me Sentir Assim

Todos nós já dissemos muitas vezes: "Gostaria de não me sentir assim." Se pudéssemos conseguir o que queremos simplesmente desejando essas coisas, a vida seria muito fácil, mas as coisas não funcionam assim. As emoções são poderosas e, às vezes, elas nos oprimem. De acordo com o dicionário Webster, a raiz da palavra *emoção* é a palavra latina *ex-movere*, que significa "mover para outro lugar". E é exatamente isso que as emoções fazem. Elas saem de algum lugar bem no fundo de nós, movendo-se para fora e nos pressionando a segui-las. Uma pessoa emocional é alguém que tem a tendência de seguir seus sentimentos na maior parte do tempo. As pessoas emocionais pensam, falam e agem de acordo com os seus sentimentos. Deus tem um bom plano para as nossas vidas, mas temos um inimigo chamado Satanás, e o desejo dele é que sigamos todos os nossos sentimentos e acabemos arruinados.

O dicionário também diz que uma emoção é "uma reação complexa, geralmente forte... envolvendo alterações fisiológicas como uma preparação para a ação." As emoções nos levam a ter algum tipo de ação. Quando sentimos uma emoção intensa, é difícil não seguir as nossas emoções, mas se o que elas estão nos levando a fazer é errado, precisamos dizer não a elas.

Capítulo 5

Pense em uma situação que o torna impaciente e lembre-se de como se sente quando isso acontece. Se for como eu, você quer descontar em alguma coisa ou em alguém. Mas a experiência nos ensina que mais tarde lamentamos a maior parte do que dizemos quando estamos impacientes. A chave é aprender a viver com os sentimentos de impaciência e esperar que as emoções cedam antes de decidir que atitude tomar.

Recentemente, cancelei um compromisso com 24 horas de antecedência, de acordo com a política de cancelamento de negócios. No dia do compromisso, cerca de cinco minutos depois da hora marcada, recebi um telefonema perguntando se Joyce Meyer iria honrar o seu compromisso. Afirmei que o havíamos cancelado, mas a garota do outro lado da linha me garantiu que eles não cometiam erros deste tipo e que o compromisso não fora cancelado. Ela me disse ainda que a conta, pelos serviços deles, seria cobrada em meu cartão de crédito. Senti as emoções ferverem e começarem a entrar em ebulição. Tentei usar meu melhor tom de voz impaciente e lhe disse que com certeza havíamos cancelado o compromisso, e que ela não deveria me cobrar nada. Ela me disse novamente que não tínhamos cancelado e que, a não ser que pudéssemos provar que o havíamos feito, ela teria de me cobrar pelo serviço.

Como eu já estava prestes a explodir, disse a ela que pediria à pessoa que cancelara o compromisso para mim que lhe telefonasse. Também disse que já utilizara o serviço deles muitas vezes, e que era tolice ela me dizer que eu não estava dizendo a verdade sobre o cancelamento. Minha assistente me garantiu que o compromisso fora cancelado, e depois de mais dois telefonemas, e após falar com o gerente, a situação foi esclarecida. O funcionário pediu desculpas pelo engano e disse que eles não cobrariam o serviço no meu cartão e que esperavam que fizéssemos negócios no futuro.

Se eu tivesse dito à garota ao telefone tudo que estava com vontade de dizer, eu teria passado vergonha. Estava com vontade de gritar com ela, mas consegui ficar quieta, respirar fundo, orar e tomar a decisão de que, mesmo que fosse cobrada pelo serviço, eu não iria perder a minha paz por causa disso. Eu sabia que se eles me enganassem, Deus tiraria deles e me devolveria aquele valor, ainda que Ele tivesse de percorrer uma cadeia de milhares de pessoas para fazer isso. Gostaria de dizer que durante toda a minha vida lidei com as situações de uma maneira muito boa, mas isso não é verdade.

Muitas vezes desejei não ter dito ou feito certas coisas, mas aprendi que posso ter um sentimento muito forte e ainda assim não permitir que ele me obrigue a dizer ou fazer coisas inadequadas.

Quando as emoções de uma situação vão além do que você pode controlar, é melhor afastar-se dela, ainda que seja apenas por alguns minutos. Isto lhe dará tempo para pensar e para bater um papo consigo mesmo. Os pensamentos realmente afetam as emoções, então, ter uma conversa consigo mesmo é muito útil. Lembre-se de todas as outras vezes que você se comportou e falou por emoção e de todos os problemas e constrangimentos que isso lhe causou. Depois pergunte a si mesmo se realmente quer ficar andando em volta dessa mesma montanha outra vez.

Ninguém chegará a um ponto na vida em que não terá uma grande variedade de emoções negativas. Se formos feridos, sentiremos raiva. Não teremos vontade de ficar por perto da pessoa que nos feriu. Sentiremos vontade de excluí-la da nossa vida. Nós nos sentimos culpados pelos erros que cometemos; sentimo-nos impacientes se as coisas não estão acontecendo como desejamos; sentimo-nos frustrados se estamos tentando realizar alguma coisa e todos os nossos esforços fracassam. Podemos nos sentir entusiasmados e apaixonados ou frios e desinteressados. Algumas emoções que sentimos são agradáveis e desejáveis, mas outras são muito desagradáveis.

Os Sentimentos Não Precisam da Nossa Permissão para Aparecer ou Desaparecer

Nossas emoções tendem a seguir o fluxo e o refluxo, assim como as ondas do mar. Seria muito bom se elas pedissem permissão para

Capítulo 5

ir e vir, mas isso não acontece. Elas simplesmente fazem o que pretendem, e isso sem qualquer aviso. Desejar que as nossas emoções fossem diferentes não vai mudar nada, então precisamos fazer mais do que desejar. Precisamos aprender tudo que pudermos sobre elas e tomar a atitude adequada para controlá-las. Se nos dermos ao trabalho de nos observarmos, perceberemos facilmente o quanto nossos sentimentos mudam rapidamente.

Um filho rebelde faz muitas coisas sem a permissão de seus pais, e simplesmente desejar que o filho não faça isso não mudará nada. O pai ou mãe precisa disciplinar seu filho para promover uma mudança. O mesmo princípio se aplica às emoções. Elas geralmente são como filhos rebeldes, e quanto mais tempo lhes for permitido fazer o que querem, tanto mais difícil será controlá-las.

Minha filha Sandy e seu marido, Steve, têm filhas gêmeas de 8 anos. Steve e Sandy estudaram técnicas de criação de filhos e uma coisa que eles trabalham muito com suas filhas é o domínio próprio. É interessante observar como isso funciona para elas. Uma das meninas ou ambas podem estar se portando de uma maneira muito emocional. Elas podem estar zangadas com alguma coisa ou agindo de forma egoísta, e um dos pais diz: "Meninas, vamos nos controlar. Vamos lá, deixem-me ver o seu domínio próprio". Este é o sinal para as meninas cruzarem as mãos no colo e se sentarem em silêncio até se acalmarem e conseguirem se portar da maneira correta. Funciona lindamente! Será mais fácil para as gêmeas, Angel e Starr, controlarem suas emoções quando forem adultas porque elas estão aprendendo a fazer isso bem cedo na vida.

Passei os primeiros quinze anos da minha vida em uma casa onde as emoções eram voláteis, e parecia normal deixar que elas me dominassem. Aprendi que se não conseguisse o que queria, você gritava, discutia e ficava zangado até conseguir que as coisas saíssem como esperava. Aprendi a manipular as pessoas fazendo-as se sentirem culpadas. Aprendi desde muito cedo a agir pela emoção, e levei muitos anos para "desaprender" o que eu aprendera. Incentivo você a controlar-se e ensinar os seus filhos muito cedo a fazerem o mesmo. Se for tarde demais para isso, comece onde está agora, porque nunca é tarde demais para fazer a coisa certa.

Creio que um dos motivos pelos quais muitas pessoas são descontroladas emocionalmente é simplesmente porque ninguém nunca lhes explicou completamente que os sentimentos são apenas uma parte do ser delas, e que não devem permitir que eles mandem nelas. Devemos aprender a ser guiados pelo Espírito e não pela alma. Fico tensa quando me lembro de todos os anos que vivi sem saber que eu não tinha de seguir os meus sentimentos. Fiz muitas coisas nada inteligentes durante esses anos. Foram anos desperdiçados que não posso ter de volta, mas posso ajudar a outras pessoas ensinando-lhes o que aprendi.

A Bíblia diz no Salmo 1:1 que não devemos pedir conselhos aos ímpios. Creio que pedir conselhos aos nossos sentimentos é algo que se encaixa nessa categoria e é um grande erro. Os sentimentos são simplesmente instáveis; eles mudam com frequência e não se pode confiar neles.

Podemos ouvir um bom conferencista falar sobre a necessidade de voluntários na igreja e ficar tão comovidos que nos inscrevemos para ajudar, mas isso não significa que teremos vontade de comparecer quando chegar a nossa vez de trabalhar. Se nos inscrevermos e não aparecermos porque não temos vontade, passaremos a ser pessoas sem integridade — e esta atitude não honra a Deus.

Esse é um grande problema na nossa sociedade hoje, e creio que ele tem um peso sobre o homem interior maior do que pensamos. Quando não cumprimos a nossa palavra, sabemos que isso não é certo. E por mais desculpas que possamos dar, é algo que fica na nossa consciência como um peso. Podemos dar uma desculpa para isso, mas é como varrer sujeira para debaixo do tapete; ela ainda está ali, e se fizermos isso com muita frequência, será impossível escondê-la.

Se quisermos andar segundo o Espírito, todos os nossos atos deverão ser governados por princípios. Na dimensão do Espírito

Capítulo 5

existe um padrão exato de certo e errado, e a maneira como nos sentimos não altera esse padrão. Fazer a coisa certa exige um "sim" da nossa parte, então devemos dizer "sim", quer nos sintamos empolgados, quer nos sintamos desanimados. Se for "não", então, é "não". Uma vida baseada em princípios é totalmente diferente de uma vida emocional. Quando uma pessoa emocional sente-se animada ou feliz, ela pode realizar o que sabe que não é razoável ou inteligente. Mas quando ela se sente fria, sem emoção, ou melancólica, não cumprirá suas obrigações porque seus sentimentos recusam-se a cooperar. Todos os que desejam ser realmente espirituais precisam conduzir-se diariamente de acordo com os princípios divinos.

Devemos sempre calcular o custo para ver se temos o que é preciso para terminar alguma coisa antes de começar. Se começamos e descobrimos que não podemos terminar, então definitivamente precisamos nos comunicar aberta e sinceramente com todas as partes envolvidas. Ainda que tenha de ligar para alguém e dizer: "Comprometi-me com isto sem realmente pensar da maneira que deveria, e agora vi que não consigo terminar", isto é muito melhor que apenas tentar ignorar um compromisso simplesmente porque não tem vontade de cumpri-lo. Nossas emoções nos ajudarão a nos comprometermos, mas qualquer pessoa que termina algo sempre chega a um ponto em que precisa seguir em frente, mesmo sem ter o apoio dos seus sentimentos.

Não Deixe Suas Emoções Opinarem

Aprenda a não perguntar a si mesmo como se sente sobre as coisas, mas em vez disso pergunte-se se fazer alguma coisa é ou não é o certo para você. Talvez saiba que precisa fazer algo, mas não sente vontade alguma de fazer isso. Você talvez deseje sentir essa vontade, mas, como tratamos anteriormente, desejar não adianta de nada. Você precisa viver por princípios e simplesmente escolher fazer o que sabe que é correto. Talvez haja determinada coisa que queira muito fazer. Pode ser uma compra que quer fazer, que sabe que é cara demais. Seus sentimentos dizem sim, mas o seu coração diz não. Diga aos sentimentos que eles não têm o direito de voto. Eles são imaturos demais para opinar e nunca opinarão o que é melhor para você em longo prazo.

Não permitimos que pessoas com menos de 18 anos votem nas eleições políticas porque presumimos que elas são imaturas demais para saber o que estão fazendo. Por que não considerar as suas emoções da mesma maneira? Elas sempre foram parte de você, mas são muito imaturas. Elas não têm sabedoria e não podemos confiar nelas para fazer a coisa certa, portanto simplesmente não permita que elas votem. Nós amadurecemos, mas as nossas emoções não, e, se elas forem deixadas livres, nossa vida será uma série de iniciativas inacabadas e decepcionantes.

As pessoas costumam me perguntar como me sinto por ter de viajar tanto em meu ministério. Aprendi a dizer simplesmente: "Eu não faço essa pergunta a mim mesma". Se me perguntasse isso com frequência, descobriria que não gosto muito disso e poderia ser tentada a parar de fazer algo que creio que Deus quer que eu faça. Alguém me perguntou há alguns meses se eu estava empolgada com uma futura viagem à África, e eu disse: "Tenho algo melhor que empolgação: estou comprometida". Eu não me sentia empolgada para ir porque estive lá diversas vezes e sei como me sentirei quando voltar para casa depois de estar em um avião por muitas horas. Mas sei que fui chamada por Deus para ajudar as pessoas, e para fazer isso preciso viajar. Então, sou impelida, não pela empolgação ou por sua falta — eu simplesmente vou! Fico realizada e satisfeita por saber que obedeci a Deus e ajudei a outras pessoas.

Quando viajar era algo novo para mim, era muito empolgante, mas a maioria das coisas que fazemos com frequência já não nos empolga mais. Entretanto, a perda da emoção da empolgação não significa que devemos deixar de fazer essas coisas.

Capítulo 5

Onde Está a Vibração?

Pergunto-me quantos milhões de pessoas pensam: *Não me sinto como me sentia com relação a meu marido ou a minha esposa. Gostaria de ainda me sentir vibrante com o nosso casamento — que os sentimentos românticos retornassem.* Tenho apenas um lembrete para essas pessoas: desejar não adianta; só a ação muda as coisas. Se você sente que não está recebendo nada do seu casamento, talvez seja porque não está dando nada a ele. Digo isso apenas porque foi o que Deus me disse certa vez, quando eu estava reclamando sobre o que sentia não estar recebendo de Dave. O que Deus disse não foi o que eu queria ouvir, mas era verdade. Ele disse: *Joyce, se você quer receber mais do seu casamento, dê mais a ele.* Talvez eu não tenha gostado de ouvir, mas sabia que Deus estava certo.

Costumamos dar aos nossos cônjuges a responsabilidade de nos fazer felizes em vez de vivermos para fazê-los felizes. Neste processo, nenhum dos dois fica feliz. Mas você pode mudar isso! Se quer que o seu casamento ou qualquer relacionamento melhore, comece fazendo o que é certo.

Não tenha expectativas irreais. Reconheça os sentimentos que você tinha nos primeiros dias do relacionamento exatamente como eles eram: eles eram sentimentos — nada mais, nada menos — apenas sentimentos! Quando me casei com Dave, nem sequer sabia o que era o amor, e minhas emoções eram tão desequilibradas que qualquer sentimento que eu tivesse não era digno de confiança para me indicar nada. Casei-me com Dave porque ele me pediu e porque sabia que ele era um bom homem. Ele realmente me atraía porque era — e ainda é — muito bonito. Ele também era um fisiculturista amador e tinha músculos desenvolvidos. Eu gostava da maneira como me sentia quando ele me beijava. Ele tinha um carro e eu não tinha nenhum. Ele tinha dinheiro e eu não tinha, então havia muitas coisas que me empolgavam. Estamos casados há 44 anos, e posso dizer sem hesitação que, sincera e definitivamente, amo Dave. Nem sempre fico vibrando quando ele volta para casa, meu coração já não bate forte quando ele me beija, mas realmente o amo.

Aconteça o que acontecer, sou comprometida com Dave. Isto é amor! O amor não é um mero sentimento. É uma decisão sobre como vamos nos comportar e tratar as pessoas.

O amor pode produzir sentimentos, e não estou dizendo que os sentimentos não são agradáveis, porque se forem bons, são muito agradáveis! Mas *estou* dizendo que não podemos depender dos sentimentos e que eles nem sempre dizem a verdade.

Uma mulher me disse recentemente que amava outro homem e que não amava mais o marido. Estou tentando fazê-la entender que ainda que ela escolha o outro homem, seus sentimentos para com ele por fim mudarão também. Então ela ficará sem nenhum sentimento bom e com muitos sentimentos negativos de culpa, vergonha e fracasso. Se o homem pelo qual ela nutre esses sentimentos estiver disposto a enganar sua esposa, então ele provavelmente irá enganá-la também. O caráter dele não é digno de admiração, se quer saber a minha opinião. Entretanto, o marido dela está disposto a perdoá-la e quer que o casamento dê certo. Somente isso é suficiente para me mostrar que ele tem caráter, porque está disposto a colocar de lado os próprios sentimentos feridos e sua decepção para salvar o seu casamento.

A mulher em questão *sente* que nunca poderá ser feliz sem o outro homem, mas sei com certeza, com base na Palavra de Deus e nas minhas experiências na vida, que ela nunca será feliz com ele também. Quando a empolgação do fruto proibido passar, a infelicidade começará.

Olhe para Adão e Eva no jardim. Satanás fez a maçã parecer algo sem o qual Eva não poderia passar. Ela precisava tê-la, e estou certa de que ficou empolgada em pensar no que achava que ela podia lhe dar. Satanás disse que se a comesse, Eva seria como Deus! Mas no instante em que ela a comeu e deu o fruto a Adão, ambos perderam algo que nunca teriam de volta. Eles ficaram envergonhados, sentiram-se culpados e se esconderam de Deus. Fazer a coisa errada, por mais que nos faça sentir-nos empolgados, absolutamente não produzirá alegria duradoura. Incentivo a todos os meus leitores a escolherem agora aquilo que os fará se sentirem felizes mais tarde. Tome decisões não com base na empolgação ou na falta dela, mas nos princípios de Deus.

A natureza da carne é querer o que acha que não pode ter, mas quando ela tem o que achou que queria, o anseio começa outra vez. A palavra que a carne grita mais alto é *mais*, e por mais que ela tenha, ela ainda assim nunca está satisfeita.

A maioria das pessoas comete muitos erros antes de descobrir isto, então espero que você já tenha tido experiências suficientes na vida para poder dizer: "Amém, Joyce. Sei que você está certa". Mas se você ainda não teve experiências suficientes, por favor, ouça-me e evite muitos sofrimentos em sua vida.

Decisão e confissão: *Quando precisar tomar uma decisão, não permitirei que minhas emoções opinem.*

Capítulo Seis

Você Está Vivo?

Falamos principalmente de pessoas que têm muitos sentimentos e vivem de acordo com eles, mas você já encontrou alguém e pensou: *Será que esta pessoa está viva?* Há pessoas que aparentam não sentir nada. De certa maneira, a vida é mais fácil para elas, mas as emoções frias devem ser controladas tanto quanto o excesso delas. Os dois principais problemas que vejo com as pessoas cujas emoções são mínimas são: (1) elas não podem realizar muito na vida a não ser que aprendam a não deixar que a falta de sentimentos fortes as controle, e (2) elas podem ser pessoas entediantes para quem convive com elas. Assim como a pessoa emocional precisa aprender a viver de acordo com seus princípios e não com suas emoções, a pessoa sem emoções precisa fazer o mesmo. Quer tenhamos emoções demais quer de menos, não podemos viver com base nelas.

Algumas pessoas podem ser frias emocionalmente porque foram feridas na vida e se tornaram endurecidas e insensíveis. Elas não querem sentir porque aprenderam cedo na vida que sentir em geral é doloroso, por isso desenvolveram formas de negar ou desligar os sentimentos. Muitas dessas pessoas têm comportamentos que geram vícios.

Recentemente, assisti a um programa de televisão sobre uma mulher que era uma acumuladora. Ela simplesmente não conseguia

Capítulo 6

jogar nada fora. Suas coisas a faziam se sentir segura. Esse vício estava destruindo sua família e sua vida, então ela procurou aconselhamento profissional.

O objetivo de todo aconselhamento é chegar à raiz do problema que causa o comportamento exagerado, e eles descobriram qual era a raiz do problema dela. Durante os anos da sua infância, seu pai tinha um emprego que exigia que sua família se mudasse quase todo ano. Todas as vezes que mudavam, ela perdia seus amigos e tinha de deixar para trás a maioria dos seus bens aos quais ela se tornara emocionalmente ligada. Ela lembrava especificamente de uma experiência dolorosa, que foi ver seu pai queimar alguns dos brinquedos de que ela gostava muito.

Seu pai deveria ter sido mais sensível à reação dela à maneira como ele lidava com as mudanças, mas não foi. Ele poderia ter permitido que ela ficasse com algumas das coisas que eram mais importantes para ela, mas infelizmente, muitos adultos só pensam em si mesmos quando tomam decisões que afetam toda a família, e deixam um rastro de pessoas feridas e destruídas atrás deles.

Quando adulta, ela associava jogar coisas fora com dor e lembranças desagradáveis, então simplesmente se agarrava a tudo. Sua casa parecia uma lata de lixo gigante. Ela era viciada em coisas e usava esse vício para controlar os sentimentos de dor ligados à perda. Quando começou a limpar sua casa com a ajuda dos membros de sua família e de conselheiros, a fim de se livrar de muitos dos seus bens, ela sentiu muita dor emocional. Mas também gostou do sentimento de liberdade que estava tendo. Ela entendeu que sua cura não viria da noite para o dia ou facilmente, mas estava determinada a superar o vício. Fico feliz por essa mulher porque gosto de ver as pessoas confrontarem seus problemas, derrubarem muralhas de cativeiro e aprenderem a desfrutar a liberdade. Sugiro que você pare agora mesmo e pergunte a si mesmo se tem algum muro em sua vida que tenha sido construído por você mesmo e que precisa ser derrubado.

Você Está Vivo?

Muitas pessoas que parecem frias e sem emoção na verdade apenas desenvolveram uma maneira de anestesiar a sua dor. Elas talvez tenham se tornado mestras em isolar-se de todos. Talvez só se sintam seguras quando não estão envolvidas com ninguém. Afinal, não irão se envolver em problemas nem enfrentar rejeição se não disserem nada e não fizerem nada. No meu caso, eu havia sido tão ferida durante minha infância que me tornei obcecada em controlar as pessoas, a fim de impedir que elas me machucassem. Achava que se ficasse no controle estaria segura.

Uma maravilhosa escritora e mestra da Bíblia chamada Lisa Bevere escreveu um livro chamado *Out of Control and Loving It* [Não estou mais no controle, e gosto disto].[1] Gosto muito desse título e, quando o vi, soube imediatamente o que Lisa estava querendo dizer. Quando achamos que temos de estar no controle de tudo e de todos, geralmente ficamos estressados ao máximo o tempo todo. Afinal, dirigir o mundo inteiro é um trabalho árduo. Mas se aprendermos a nos controlar em vez de tentarmos controlar as outras pessoas, amaremos e desfrutaremos a vida com mais facilidade.

As pessoas que não demonstram muita emoção precisam de cura tanto quanto as que são emocionais em excesso. Sempre que descobrirmos que estamos desequilibrados em alguma área da vida, devemos confrontá-la e trabalhar com o Espírito Santo para voltar ao equilíbrio. Se uma pessoa é excessivamente emocional, ela precisa ser menos emocional. Se não tem emoção, precisa se agitar um pouco. Se uma pessoa fala demais, deve aprender a ficar em silêncio. Quando é alguém muito quieta, precisa aprender a manter uma conversa para o bem dos seus relacionamentos e de uma vida social equilibrada.

As pessoas que foram feridas geralmente constroem muralhas e se escondem atrás delas para se protegerem. Mas aprendi na vida que se isolar as pessoas do lado de fora dos meus muros, eu também me isolo do lado de

> *Aprendi na vida que se isolar as pessoas do lado de fora dos meus muros, eu também me isolo do lado de dentro, e perco a minha liberdade.*

Capítulo 6

dentro, e perco a minha liberdade. Creio firmemente que devemos derrubar muralhas que não são saudáveis e deixar que Deus se torne a nossa muralha de proteção.

> Não se ouvirá mais falar de violência em sua terra, nem de ruína e destruição dentro de suas fronteiras. Os seus muros você chamará salvação, e as suas portas, louvor.
>
> Isaías 60:18

Esta bela passagem nos traz uma promessa maravilhosa. A salvação por meio de Jesus se torna a nossa muralha de proteção. Não precisamos mais viver vidas cheias de violência, devastação e destruição.

Outra passagem nos diz que se não temos domínio próprio, somos como uma cidade derrubada, sem muros (ver Provérbios 25:28). Assim, independentemente de quantas muralhas achamos que estamos construindo para nos proteger, se não mantivermos nossas emoções equilibradas, todas as nossas muralhas serão meras ilusões, como muros que não nos protegem de nada.

Os muros que construímos ao nosso redor mantêm a tristeza de fora, mas também fica de fora a alegria.
Jim Rohn

É Assim Que Eu Sou

Algumas pessoas são quietas, tímidas e mais tranquilas, simplesmente por causa de sua personalidade. Sou uma pessoa falante e meu marido não é, e não há nada de errado com nenhum de nós. Mas quando qualquer coisa se torna exagerada a ponto de ser um obstáculo à nossa liberdade ou a ponto de ferir outras pessoas, não podemos dizer: "É assim que eu sou." Há momentos em que Dave precisa falar comigo mais do que preferiria, porque é disso que eu preciso, e o amor exige que façamos sacrifícios pelo outro. Também há momentos em que eu gostaria de tagarelar sem parar, mas percebo que Dave não está realmente gostando, então decido ficar quieta ou procuro outra pessoa para conversar.

Precisamos trabalhar para encontrar o equilíbrio e não desculpar o nosso comportamento grosseiro ou destituído de amor dizendo: "É assim que eu sou." Deus está comprometido em nos transformar à Sua imagem, e isso significa que Ele nos ajuda a controlar as nossas fraquezas e usa os nossos pontos fortes.

Dave e eu temos personalidades muito diferentes e, no entanto, convivemos fabulosamente. Nem sempre foi assim, mas aprendemos a ser o que o outro necessita, entretanto, não indo tão longe a ponto de perdermos a nossa liberdade. Procuro suprir as necessidades de Dave e ele faz o mesmo por mim. Dave gosta de coisas que eu não gosto, mas mesmo assim incentivo-o a fazê-las para que ele se sinta realizado, e ele me trata da mesma maneira. Quando um amigo ou um cônjuge precisa que você se adapte em alguma área para tornar o relacionamento melhor, é tolice e egoísmo dizer: "Sinto muito, é assim que eu sou." Podemos nos sentir mais confortáveis e achar mais fácil fazer o que temos vontade, mas podemos fazer alguns ajustes e ainda assim não perder a nossa individualidade.

O apóstolo Paulo disse que ele aprendeu a ser tudo para com todos, em um esforço para ganhá-los para Cristo (ver 1 Coríntios 9:19-22). Em outras palavras, ele se adaptava ao ambiente em vez de esperar que tudo e todos se moldassem a ele. Estou certa de que essa decisão permitiu que Paulo desfrutasse de muita paz e lhe deu muito mais amigos. Podemos nos tornar muito infelizes e ter uma vida cheia de estresse por nunca estarmos dispostos a mudar ou nos adaptarmos. Todos nós somos diferentes, mas podemos conviver pacificamente.

Como mencionei, a personalidade de meu marido é principalmente fleumática, e a minha é colérica. Essas personalidades são

Capítulo 6

opostas, mas nós complementamos um ao outro quando andamos em amor. Tomo decisões muito depressa e Dave tende a querer pensar nas coisas por muito tempo. Geralmente ajo mais com base no meu instinto, mas ele usa mais a lógica e a razão.

A verdade é que precisamos dessas duas maneiras de agir para tomar decisões consistentemente boas, então Deus dá a cada um de nós uma parte do que é necessário e quer que dependamos um do outro e trabalhemos juntos. Ao longo dos anos, melhorei muito na arte de esperar, mas nunca serei tão boa nisso quanto Dave é naturalmente. As pessoas coléricas fazem tudo rapidamente, e as pessoas fleumáticas fazem as coisas de modo mais lento e deliberado. Posso limpar a cozinha mais depressa do que Dave, mas ele fará isso melhor, porque é mais preciso naquilo que faz.

Temos vinte pessoas em nossa família. Isso inclui Dave e eu, nossos quatro filhos, seus cônjuges e dez netos. Somos muito íntimos e passamos muito tempo juntos, mas temos uma grande variedade de personalidades entre essas vinte pessoas. Meus dois filhos e eu somos totalmente coléricos, e todos os três somos casados com pessoas fleumáticas maravilhosas. Uma de nossas filhas é fleumática, assim como dois genros e um neto. Naturalmente, os outros membros da família possuem diferentes misturas de personalidades. Uma filha é melancólica, sanguínea e colérica. O ponto a que quero chegar é que temos uma série de pessoas que veem as coisas de modo diferente e que precisam de coisas diferentes para se sentirem realizadas.

Minha filha que é melancólica precisa receber elogios de seu marido fleumático, que costuma esquecer-se de elogiá-la. Ele a acha linda, mas nem pensa em se dar ao trabalho de dizer isso a ela. Eles discutiram esse assunto diversas vezes, e, finalmente, ele começou a deixar bilhetes como lembretes na sua agenda. As pessoas mais tranquilas e destituídas de emoção precisam encontrar maneiras de lembrar o que precisa ser feito.

Houve muitas vezes em minha vida em que tive realmente de deixar lembretes em minha agenda para me lembrar de não falar demais ou para cuidar da minha vida, ou para não começar a controlar as pessoas. Se as pessoas mais extrovertidas e agressivas precisam abaixar um pouco o tom, creio que é justo que as pessoas quietas, menos emocionais e não agressivas encontrem maneiras de se animarem. Às vezes, olho para uma pessoa não agressiva e penso: *Essa pessoa está viva?* E é claro que está. A questão é que a pulsação dela é simplesmente um pouco mais lenta do que a minha.

Muitos casamentos fracassam porque as pessoas não querem fazer o esforço de dar aos seus cônjuges o que eles precisam. Temos a tendência de pensar que se não precisamos de alguma coisa, ninguém precisa. Ou se uma pessoa tem uma necessidade que é diferente da nossa, temos a tendência de diminuir essa necessidade. Esse tipo de atitude é uma das maneiras mais rápidas de arruinar um relacionamento. Graças a Deus porque em nossa família aprendemos e ainda estamos aprendendo que as necessidades de todos são válidas — ainda que sejam difíceis de entender ou ainda que seja difícil para nós supri-las.

O amor requer que estejamos dispostos a crescer e a mudar. Esse processo é um pouco mais difícil para as pessoas que são mais tranquilas e despreocupadas. Mudar exige trabalho e, às vezes, elas simplesmente não querem fazer um esforço nem veem a necessidade de fazê-lo. Para ser sincera, cheguei a um ponto em que fiquei cansada de pensar que eu precisava ser menos agressiva, enquanto todas as pessoas que pareciam sequer estar vivas eram aplaudidas por nunca fazerem qualquer alarde. Se a sua personalidade é fleumática, talvez queira esforçar-se um pouco para participar do que acontece ao seu redor e para se sentir entusiasmado com isso. Se você é muito, muito quieto, talvez queira fazer um esforço para falar um pouco, ainda mais se esta não é a coisa mais confortável para você. Falar mais para você não é mais difícil do que falar menos é para mim! Tente animar-se com as pessoas com quem você se importa, e que estão entusiasmadas com um novo plano ou projeto. Essa é uma maneira de demonstrar que você as ama.

Capítulo 6

Lembro-me de voltar para casa animada com o meu mais novo objetivo e sentir que Dave jogava água gelada em todo o meu entusiasmo. A reação dele era mais lógica, mas não era boa para o nosso relacionamento. Talvez ele tivesse de me levar a ter um pouco de equilíbrio, mas eu precisava que ele se juntasse a mim no meu sonho. Ele aprendeu a fazer isso, e eu aprendi a não ter um novo sonho ou objetivo quatro vezes ao dia. Um dia ele disse: "Você é a visionária e eu sou o pró-visionário", então olhamos as coisas por ângulos diferentes. Às vezes, penso apenas no meu entusiasmo para concluir o meu objetivo, mas Dave tem de pensar em como vamos realizá-lo. Deus disse que quando um homem e uma mulher se casam, os dois se tornam uma só carne, mas Ele nunca disse que seria fácil. Bons relacionamentos exigem muito trabalho árduo, educação e disposição para suprir as necessidades um do outro.

Não Importa

A verdade é que as pessoas mais agressivas se importam com muitas coisas com as quais as pessoas menos agressivas não se importam nem um pouco. Costumamos jantar fora, e, frequentemente, por uma questão de respeito, pergunto a um dos membros tranquilos da minha família aonde gostariam de ir ou o que gostariam de comer. E eles geralmente dizem: "Não importa; tanto faz o que vou comer." Isso me deixa impressionada, porque me importo com o lugar onde vou jantar e o que vou comer, e não consigo compreender uma pessoa que não se importa com o que come. Sei a quantidade exata em colheres de chá de creme que quero no meu café e a temperatura em que ele deve estar. Eu jamais diria: "Quero um café com um pouco de creme, por favor." Eu diria: "Quero café com creme à parte para que eu mesma me sirva".

Gosto de ir ao *Starbucks* porque eles têm um excelente atendimento. Eles personalizam o seu pedido de café para que seja exatamente como você quer e, se erram, geralmente ficam felizes em fazê-lo de novo. O meu pedido mudou ao longo dos anos e é mais ou menos assim: "Um café grande. E você poderia fazer um café fresco? Eu gostaria dele nesta caneca com isolamento térmico duplo que trouxe comigo, e preciso de água quente ao lado e meio a meio em outra xícara. Gostaria que o café estivesse superquente." Enquanto espero pelo meu pedido, ouço muitas pessoas dizerem: "Café, por favor." Não consigo imaginar fazer um pedido tão simples assim. Muitas pessoas fazem pedidos no *drive-through*, mas eu jamais faria isso porque quero ver o meu pedido sendo feito, para saber se vai ser feito exatamente do jeito que quero. Não consigo imaginar não me importar!

Amo a estabilidade e a adaptabilidade dos membros menos agressivos da nossa família, e preciso deles desesperadamente. Se todos os vinte membros de nossa família fossem como meus filhos e eu, provavelmente nos mataríamos uns aos outros. O ponto principal do que estou tentando dizer é que todos nós precisamos uns dos outros e devemos gostar dos relacionamentos que Deus nos dá.

Conheço pessoas que podem usar a mesma roupa duas vezes por semana durante dez anos e não se importar, mas eu não uso o mesmo pijama duas noites seguidas. Preciso de muita variedade, mas as nossas amadas pessoas fleumáticas simplesmente não se importam. Minha filha fleumática dorme com uma camisa velha, mas eu quero estar bonita quando vou dormir. Ela não se importa com a sua aparência na cama, mas eu me importo com a minha aparência em qualquer lugar!

Se aprendermos que batalhas lutar e quais deixar de lado, poderemos vencer a guerra. Por exemplo, embora Deus tenha me transformado muito, provavelmente sempre serei um pouco mandona.

> *Todos nós precisamos uns dos outros e devemos gostar dos relacionamentos que Deus nos dá.*

Dave sabe disso, então ele não se engaja na batalha de tentar mudar-me. Ele conhece o meu coração e me deixa ser quem eu sou.

Capítulo 6

Nos restaurantes, eu, às vezes, sugiro o que ele poderia querer comer (na verdade, faço isso com muita frequência). Sou tão boa em tomar decisões que realmente gosto de tomar decisões por todos. Ele ouve, e se a minha sugestão lhe agradar, faz o pedido, e se não agradar, ele simplesmente pede o que quer. Ele poderia ficar irritado e me dizer para parar de tentar dizer-lhe o que fazer, o que poderia ferir meus sentimentos e perderíamos um dia todo zangados um com o outro, mas aprendemos que esse tipo de comportamento é inútil. Agora nossas diferenças nos divertem em vez de nos angustiar.

Em vez de nos ressentirmos pelo fato de as pessoas não serem como nós e tentarmos mudá-las, deveríamos nos esforçar para conviver com elas e confiar em Deus para mudar o que precisa ser mudado em cada um de nós.

Mesmo quando você acha que uma pessoa é insensível, posso lhe garantir que não é. Acontece que o coração dela simplesmente bate um pouco mais devagar que o de outras pessoas. Amar as pessoas incondicionalmente é o maior presente que podemos dar a elas e a nós mesmos. Aprendi que um dos segredos da minha paz é deixar que as pessoas sejam quem Deus as criou para ser, em vez de tentar fazê-las ser quem eu gostaria que fossem. Faço o meu melhor para gostar dos pontos fortes delas e para ser misericordiosa com as suas fraquezas, porque eu também as tenho muitas. Não preciso tentar tirar o cisco do olho delas enquanto tenho um poste telefônico no meu.

Uma mulher que conheço ficou viúva há pouco tempo e estava me contando sobre o relacionamento com o seu marido. Essa mulher é muito teimosa, e gosta das coisas do jeito dela. Ela me disse que quando se casou, percebeu muitas coisas em seu marido que a irritavam. Como qualquer boa esposa, ela contou ao marido sobre suas características e seus hábitos irritantes, para que ele pudesse mudar.

Contudo, pouco a pouco, ela caiu em si quanto ao fato de que embora fosse muito boa em dizer ao seu marido todos os pontos nos quais ele precisava mudar, ele nunca lhe retribuiu o favor! Enquanto ela se perguntava qual a razão disso, percebeu que em algum momento seu marido tomara a decisão de não olhar para as imperfeições dela, ou procurar por elas. Ele sabia que a esposa tinha muitos defeitos, mas não se concentraria neles. Então, ocorreu-lhe que ela podia continuar a apontar todas as características irritantes dele — ou podia optar por não fazer isso. Assim como seu marido fizera.

No fim da nossa conversa, ela me disse que nos doze anos em que eles estiveram casados, seu marido nunca lhe disse uma palavra desagradável. Acho que todos nós podemos extrair uma lição desse exemplo.

Lance os Seus Cuidados

> Lançando todos os seus cuidados [todas as suas ansiedades, todas as suas preocupações, de uma vez por todas] sobre ele, porque ele cuida de vocês com afeto e se importa com vocês com atenção.
>
> 1 Pedro 5:7 AMP

Obedecer a essa passagem é um pouco mais difícil para aqueles de nós que se importam com quase tudo, e muito mais fácil para as abençoadas pessoas menos emocionais. Devido ao fato de me importar com muitas coisas na vida e querer que tomem certo rumo, se eu não tiver cuidado, minha ansiedade pode se transformar facilmente em preocupação. Deus trabalhou em mim durante anos, e posso dizer sinceramente que raramente me preocupo agora, mas levei muito tempo para aprender a não tentar fazer algo a respeito de coisas que eu não podia mudar.

Por exemplo, raramente posso fazer alguma coisa com relação ao que as pessoas pensam a meu respeito, então ficar excessivamente preocupada com isso é um desperdício total de tempo e de energia. Meu marido certamente não se importa com o que as pessoas pensam a respeito dele. Quando pergunto, de vez em quando, como se sente com alguma coisa negativa que alguém disse sobre nós, ele me diz que não sente nada, mas que, em vez disso, apenas confia em Deus para cuidar do assunto. Algumas vezes eu ficava muito angustiada quando lia artigos desagradáveis sobre mim nos jornais ou quando éramos julgados injustamente, mas Dave apenas dizia: "Lance os seus cuidados."

Tivemos muitas discussões no passado por causa dessa afirmação. Quero que ele compartilhe meus sentimentos, mas ele simplesmente não pode fazer isso porque realmente não se incomoda com as coisas que me incomodam. Sei que ele está certo quando me diz para lançar os meus cuidados sobre o Senhor, mas como já estou me incomodando, essa não é a resposta que quero ouvir. Felizmente, Deus me ajudou e continua a fazer isso, e Dave tem sido um bom exemplo para mim. Mas tenho de trabalhar para não me importar mais do que ele.

Se você é uma pessoa mais emocional, estou certa de que as pessoas menos emocionais que fazem parte da sua vida algumas vezes o deixaram frustrado. Parece que nada as incomoda enquanto muitas coisas o incomodam. Eu entendo esse sentimento! Passei por isso e sei como você se sente, mas também vivi o suficiente para entender que viver de acordo com os nossos sentimentos é um grande erro. A verdade é que a melhor maneira de se viver é aprender a lançar os seus cuidados sobre Deus e deixar que Ele cuide de você.

Decisão e confissão: *Com a ajuda de Deus, posso conviver bem com os outros e me adaptar a todo tipo de pessoa.*

Capítulo Sete

Reações Emocionais

> [...] sem de forma alguma deixar-se intimidar por aqueles que se opõem a vocês. Para eles isso é sinal de destruição, mas para vocês, de salvação, e isso da parte de Deus.
>
> Filipenses 1:28

Aprender a agir de acordo com a Palavra de Deus é muito melhor do que reagir emocionalmente às circunstâncias. Admito que isso não é fácil, mas é possível; do contrário, Deus não teria nos instruído a fazê-lo. Neste capítulo, quero examinar quatro áreas diferentes. Encorajo-o a perguntar sinceramente a si mesmo como reage a elas emocionalmente. A passagem mencionada é uma das favoritas de Dave, e ele a cita com frequência. Se pudermos permanecer constantes durante as marés sempre oscilantes da vida e as circunstâncias indesejáveis que ela nos traz, agradaremos a Deus e descobriremos que Ele sempre nos livra.

Mudança e Transição

Tudo muda, exceto Deus, e permitir que todas as mudanças em nossas vidas nos angustiem não as impedirá de ocorrer. As pessoas mudam, as

Capítulo 7

circunstâncias mudam, nossos corpos mudam, nossos desejos e paixões mudam. A mudança é uma certeza na vida. Não nos importamos com a mudança se a convidamos, mas quando ela vem sem ser convidada, nossas emoções podem facilmente se descontrolar.

John trabalhou em uma companhia de investimentos por 32 anos e estava certo de que ia se aposentar naquela empresa. Sem qualquer aviso, a empresa foi vendida para uma companhia maior, cuja direção decidiu que não queria ficar com muitos dos funcionários, e John perdeu o emprego. Ele achou que não foi tratado de maneira justa quando o dispensaram. O que fazer agora? John tinha uma escolha. Ele poderia reagir emocionalmente ficando estressado, angustiado, ansioso, irado e preocupado, sentindo e dizendo muitas coisas negativas. Ou poderia reagir com base na Palavra de Deus e confiar nele para ser o seu vingador e a fonte de suprimento para todas as suas necessidades.

É totalmente compreensível que John tivesse tido essas emoções, mas se ele optasse por reagir com base nos seus sentimentos, ficaria infeliz e, possivelmente, deixaria outras pessoas que fazem parte de sua vida infelizes também. Se optasse por tomar decisões com base na Palavra de Deus, porém, ele poderia fazer a transição com muito menos confusões em seu interior. Será que sua raiva se dissiparia imediatamente? Provavelmente não, mas se John entregasse realmente os seus cuidados a Deus, os sentimentos se acalmariam e ele poderia ter confiança de que Deus continuaria a operar em sua vida, fazendo justiça à injustiça que lhe fora feita.

A maioria das mudanças ocorre sem a nossa permissão. Mas *podemos* escolher nos adaptar. Se nos recusarmos a fazer a transição necessária em nossa mente e em nossa atitude, estaremos cometendo um enorme erro. Nossa recusa em nos adaptarmos não altera as circunstâncias, mas rouba a nossa paz e a nossa alegria. Lembre-se de que você não pode fazer nada a respeito disso, então lance os seus cuidados sobre Deus e deixe que Ele cuide de você.

Durante um tempo em sua vida, Dave sempre encontrava seus amigos determinadas vezes por ano para jogar golfe por três dias.

É algo que ele realmente gosta de fazer, mas nos últimos anos, ele achou necessário fazer algumas mudanças. Houve um período em que ele e seus amigos jogavam várias partidas de golfe durante dois dias e depois mais algumas no último dia, mas esses dias se foram. É difícil para ele fazer isso agora. Ele está em ótima forma física, mas ainda assim, está com 70 anos e simplesmente não tem mais o mesmo nível de resistência.

Enquanto eu escrevia este livro, Dave e seus amigos foram para a Flórida em uma de suas viagens. Quando Dave voltou para casa, ele me disse: "Esta foi a última vez que fiz isso." Ele me contou sobre quanta dificuldade e aborrecimento teve de passar para chegar lá, e que no segundo dia suas costas estavam tensas e ele precisou andar no carrinho e ficar sem jogar durante parte do tempo. Além disso, precisou usar uma joelheira porque seu joelho o estava incomodando. Ele disse que preferiria estar em casa. Seu corpo está mudando, então Dave fez uma transição mental. Ele falou: "Ainda vou poder jogar, mas agora vou fazer isso de uma maneira diferente. Os rapazes podem vir a St. Louis para que eu não tenha de viajar, porque eles são mais jovens do que eu. Podemos jogar algumas partidas nos dois primeiros dias e apenas uma no último dia." Isso ainda me parece bastante intenso, mas para ele foi uma grande mudança. Seu corpo está mudando, e ele está mudando com ele e mantendo uma atitude positiva quanto a isso.

Dave poderia ter permitido que seu ego masculino tivesse um acesso de irritação e ter se recusado a admitir que não podia mais fazer viagens para jogar golfe da mesma maneira que antes. Ele poderia ter ficado irritado e decidido que não gostava de envelhecer e de todas as consequências da idade. Mas em vez disso, agiu com base na Palavra de Deus e fez essa transição com graça. Dave entende que chegará um dia em que terá de fazer mais mudanças, mas já se decidiu que quando isso acontecer, ele fará cada uma delas com uma atitude positiva.

Dave realmente gosta de jogar golfe, por isso perguntei-lhe como ele lidaria com o fato caso não pudesse mais jogar, e sua res-

Capítulo 7

posta foi impressionante. Ele disse: "Eu provavelmente ficaria decepcionado, mas me lembraria de todos os anos em que pude jogar e seria grato por isso. Eu me adaptaria e encontraria outra coisa para fazer."

Aprenda a se Adaptar

> Sede unânimes entre vós; não ambicioneis coisas altivas mas acomodai-vos às humildes; não sejais sábios aos vossos olhos [...]
> Romanos 12:16 AA

No capítulo anterior, discutimos o fato de nos adaptarmos às diferentes personalidades que encontramos na vida. Agora discutiremos a adaptação às circunstâncias instáveis a respeito das quais não podemos fazer nada. A maneira como reagimos emocionalmente determina a medida de paz e alegria que temos. Nossos pensamentos são a primeira coisa com a qual precisamos lidar durante essa mudança, porque os pensamentos afetam diretamente a emoção. Quando as circunstâncias mudarem, faça a transição mentalmente, e as suas emoções serão muito mais fáceis de administrar. Se alguma coisa mudar e lhe surpreender com uma circunstância para a qual você não está pronto e que não escolheu, você muito provavelmente terá uma série de emoções a respeito, mas agindo com base na Palavra de Deus e não simplesmente reagindo à situação, poderá administrar suas emoções em vez de permitir que elas o controlem.

Se você leu meus outros livros ou assistiu a meus programas, já sabe que recomendo firmemente que confessemos a Palavra de Deus em voz alta. Embora aquilo que está sendo confessado possa ser o contrário do que você sente, continue fazendo isso. A Palavra de Deus tem poder inerente para mudar os seus sentimentos. Ela também nos traz consolo e acalma as nossas emoções confusas. Se ainda não leu meu livro *Pensamentos Poderosos*, recomendo que o faça. Ele irá lhe dar uma compreensão profunda do poder dos nossos pensamentos e palavras sobre as circunstâncias e as emoções. Como reage às mudanças? Você age com base na Palavra de Deus ou simplesmente reage à situação? Depois do choque inicial, você está disposto a fazer a transição mental e emocionalmente?

Decepcionado? Anime-se!

A decepção ocorre quando nossos planos são frustrados por alguma coisa que não podemos controlar. Podemos nos decepcionar por circunstâncias desagradáveis ou por pessoas que nos desapontaram. Podemos nos sentir decepcionados com Deus quando esperamos que Ele faça alguma coisa e não o faz. Às vezes, até nos decepcionamos com nós mesmos. Ninguém tem tudo o que quer o tempo todo, portanto, precisamos aprender a lidar com a decepção da maneira adequada.

Quando nos decepcionamos, nossas emoções em princípio desabam, e depois de algum tempo, elas rompem em fúria. Depois que algum tempo passa e expressamos completamente a nossa ira, podemos sentir que as emoções desabam novamente. Nós nos sentimos para baixo, negativos, desanimados e deprimidos. Na próxima vez que se decepcionar, preste atenção na atividade das suas emoções, mas em vez de deixar que elas assumam a direção, tome a decisão de controlá-las. Não há nada de incomum ou de errado com os sentimentos iniciais da decepção, mas é o que fazemos desse momento em diante que faz toda a diferença.

Aprendi muito tempo atrás que com Deus ao nosso lado, embora passemos por decepções na vida, podemos sempre "nos animar". Se você ou eu temos uma consulta marcada com um médico e ele tiver uma emergência e cancelá-la, simplesmente marcamos outra consulta. A vida também é assim. Confiar que Deus tem um bom plano para nós, e que os nossos passos são ordenados por Ele, é a chave para evitar que a decepção se transforme em desespero.

Capítulo 7

☙ Em seu coração o homem planeja o seu caminho, mas o Senhor determina os seus passos.

Provérbios 16:9

☙ Os passos do homem são dirigidos pelo Senhor. Como poderia alguém discernir o seu próprio caminho?

Provérbios 20:24

Essas duas passagens estabilizaram minhas emoções muitas vezes quando eu estava com pressa para chegar a algum lugar e me vi presa no trânsito. Em princípio, sinto-me deprimida, depois fico irritada, e digo: "Bem, já que os meus passos são dirigidos pelo Senhor, vou me acalmar e agradecer a Deus pelo fato de estar exatamente onde Ele quer que eu esteja." Também lembro que Deus pode estar me livrando de um acidente mais à frente na estrada, mantendo-me ali onde estou. Confiar em Deus é absolutamente maravilhoso porque acalma os nossos pensamentos e emoções agitadas quando as coisas não acontecem como planejamos.

Como reage quando se decepciona? Quanto tempo leva até fazer a transição e animar-se? Você está agindo com base na Palavra de Deus ou está apenas reagindo emocionalmente às circunstâncias? Você é controlado pelo que está ao seu redor, ou por Jesus, que vive dentro de você?

Se não fizermos estas perguntas a nós mesmos e as respondermos sinceramente, passaremos toda a nossa vida sem nunca nos conhecermos verdadeiramente. Lembre-se, só a verdade o libertará (ver João 8:32).

Confiar completamente em Deus e crer que o plano dele para você é infinitamente melhor do que o seu plano impedirá que você se decepcione com Deus. É impossível ficar chateado com alguém quando você realmente acredita que esse alguém tem o máximo interesse no seu bem. Quando está zangado, você quer descontar em alguém, mas não é sábio fazer de Deus o seu alvo. Ele é o Único que pode ajudá-lo e realmente consolá-lo; portanto, é muito melhor correr para Ele com a sua dor do que fugir dele.

Fracassei Comigo Mesmo

Esperamos certas coisas e comportamentos de nós mesmos, e quando falhamos em viver de acordo com esses padrões, é fácil ficarmos irados com nós mesmos. Para algumas pessoas, essa raiva é duradoura e profunda. É bom ter expectativas elevadas de si mesmo, mas não expectativas irrealistas. Os perfeccionistas, principalmente, têm problemas nesta área. Eles querem ser perfeitos — e nunca serão. Podemos ser perfeitos em nosso coração, mas não chegaremos à perfeição em nosso desempenho enquanto estivermos em corpos feitos de carne e sangue.

Felizmente, podemos crescer espiritualmente e aprender a nos comportar melhor, mas quero encorajá-lo a aprender a celebrar até as suas pequenas vitórias em vez de ficar irado consigo mesmo. É muito natural nos sentirmos decepcionados quando falhamos, mas não devemos permitir que a decepção se transforme em um problema mais profundo. Anime-se ao lembrar que Deus o ama incondicionalmente e o está transformando pouco a pouco. Olhe para o seu progresso em vez de olhar a distância que ainda precisa percorrer.

Todos nós nos decepcionamos, às vezes. Há alguns anos, comportei-me muito mal em um relacionamento, e até hoje lamento a maneira como agi. Eu estava trabalhando com alguém e a nossa personalidade não interagia nada bem. Depois de tentar fazer as coisas darem certo durante anos, finalmente entendi que precisava fazer uma mudança para o bem das duas pessoas. Ficava adiando essa decisão porque não queria magoar a outra pessoa. Quanto mais eu esperava, tanto mais as fraquezas dela me irritavam, e tenho certeza de que as minhas a irritavam também. Por me sentir presa naquela armadilha, fiquei irada, e reagi à maneira como me sentia em vez de tomar a atitude adequada e fazer o que eu sabia que precisava fazer.

Capítulo 7

Eu achava que o motivo para procrastinar minha decisão era nobre: eu não queria magoá-la. Mas por mais nobre que fosse a minha motivação, eu estava desobedecendo à direção do Espírito Santo, e isso sempre acaba mal. Quando o relacionamento terminou, a situação ficou feia, e sei que ambas lamentamos isso. Fiz tudo que era possível para acertar as coisas, mas foi uma daquelas situações que simplesmente não podiam ser consertadas e eu me senti muito mal com isso.

Demorou algum tempo, mas finalmente consegui receber o perdão de Deus e fiz o máximo esforço para aprender com o meu erro. Quero lhe garantir que ficar irado com você mesmo por ter falhado não adianta nada. Você está decepcionado com você? Caso esteja, então é hora de deixar isso para trás agora mesmo e voltar aos trilhos. É hora de parar de viver de acordo com o que sente.

Aprendendo a Esperar da Maneira Certa

> E a perseverança deve ter ação completa, a fim de que vocês sejam maduros e íntegros, sem lhes faltar coisa alguma.
>
> Tiago 1:4

Se você não desenvolveu a paciência, esperar pode fazer que o seu pior venha à tona. Pelo menos, foi isso que aconteceu comigo até que finalmente entendi que minhas reações emocionais não estavam fazendo as coisas andarem mais depressa. O Dicionário de Grego *Vine* afirma que a paciência é um fruto do Espírito que cresce somente quando somos submetidos a provações. Todos nós gostaríamos de ser pacientes, mas não queremos desenvolver a paciência porque isso significa nos comportarmos bem enquanto não temos o que queremos. E isto é *difícil!*

Algumas pessoas são naturalmente mais pacientes que outras devido ao seu temperamento, mas descobri que mesmo as pessoas muito pacientes têm pelo menos algumas coisas que as irritam mais que as outras pessoas. Como deve imaginar, Dave é muito paciente. Esperar absolutamente não o incomoda tanto assim. Ele ficaria bem em um engarrafamento de trânsito, a não ser, é claro, que isso o atrasasse para o seu jogo de golfe. Ele é um pouco impaciente com motoristas que fazem coisas na estrada que ele jamais faria. Mas como a sua personalidade é tranquila e adaptável, esperar não é tão difícil para ele. No entanto, foi algo muito difícil para mim durante muitos anos. Finalmente, entendi que Deus permitia que eu fosse constantemente colocada em situações nas quais eu não tinha escolha a não ser esperar, e Ele fazia isso para que eu desenvolvesse a paciência.

A paciência é extremamente importante para as pessoas que querem glorificar a Deus e desfrutar suas vidas. Se uma pessoa é impaciente, as situações que ela encontra na vida certamente a farão reagir emocionalmente. Na próxima vez que tiver de esperar por alguma coisa ou por alguém, em vez de simplesmente reagir, tente falar um pouco consigo mesmo. Talvez você pense: *Ficar irritado não vai fazer isto andar mais depressa, então é melhor eu apreciar a espera.* Então, talvez diga em voz alta: "Estou desenvolvendo a paciência enquanto espero, então sou grato por esta situação." Fazendo isso, você estará agindo com base na Palavra de Deus em vez de reagir à circunstância desagradável.

Todas as vezes que exercitamos a paciência, nós a fortalecemos, assim como desenvolvemos os nossos músculos sempre que os exercitamos. Fico dolorida quando me exercito, mas sei que o exercício está me ajudando. Podemos ver o exercício da paciência da mesma maneira. Não pense simplesmente no quanto tudo é difícil e frustrante, mas pense na paz que sentirá quando precisar esperar não for mais algo que o incomoda.

Você sabe esperar? Como age quando está trabalhando com alguém que é realmente lento no que faz? Como é afetado quando fica preso no trânsito? E se alguém ocupa a vaga de estacionamento pela qual você estava aguardando? Quanto mais intensamente desejamos alguma coisa, tanto mais as nossas emoções chamarão a atenção se não a conseguirmos.

Às vezes, o que queremos simplesmente é mais importante para nós do que deveria, e precisamos entender isso e não nos portarmos de maneira infantil. O bom senso nos diz que é uma grande tolice ter um acesso de fúria por causa de uma vaga de estacionamento ou de algumas coisas simples que tendem a deixar as pessoas irritadas. Que situações são difíceis para você? Como se comporta emocionalmente quando tem de esperar? Em uma escala de 1 a 10, como você lida consigo mesmo quando as coisas não acontecem do seu jeito? Descobri que responder sinceramente a estas perguntas é útil para nos ajudar a progredir no controle das nossas emoções.

Convivendo com Pessoas de Difícil Convivência

Como você reage às pessoas que são rudes? Você reage com amor como a Palavra diz que deveríamos fazer, ou se junta a elas no mesmo tipo de comportamento ímpio? Nenhum de nós aprecia pessoas irritáveis e irritantes. Uma definição de grosseria é ser rude e desagradavelmente áspero. Creio que existem muitas pessoas assim no mundo hoje, principalmente por causa da vida estressante que a maioria das pessoas leva. As pessoas estão tentando fazer coisas demais em pouco tempo e têm mais responsabilidades do que a realidade mostra que conseguem lidar.

Quando o balconista de uma loja é rude comigo, posso sentir minhas emoções começarem a ferver imediatamente. Como disse, as emoções se levantam e depois saem, querendo que as sigamos. Quando sinto isso, sei que preciso tomar uma atitude. Tenho de raciocinar sozinha, e me lembro de que a pessoa que está sendo rude provavelmente tem muitos problemas e talvez nem sequer perceba como está agindo. Com certeza, lembro-me de muitas vezes em minha vida quando as pessoas me perguntavam por que eu estava sendo tão áspera e eu nem sequer percebia que estava agindo assim. Havia muitas coisas acontecendo comigo e eu me sentia pressionada, então a pressão escapava em tons de voz ásperos. Isso não desculpava o meu mau comportamento, mas era a raiz do problema.

Sou muito grata por conhecer a Palavra de Deus e por ter o Senhor em minha vida para me ajudar e consolar. Mas procuro lembrar que muitas pessoas no mundo que são difíceis de conviver não têm esse privilégio. Quero sempre que o meu comportamento seja um testemunho para Cristo e não algo que o envergonhe de mim. Neste caso, tenho de trabalhar muito com o Espírito Santo para desenvolver a capacidade de agir com base na Palavra de Deus quando as pessoas forem rudes em vez de simplesmente reagir a elas com um comportamento que se iguale ao delas ou mesmo que o ultrapasse.

Jesus disse que não fazemos nada de especial tratando bem as pessoas que nos tratam bem, mas quando somos gentis com alguém que poderíamos chamar de nosso inimigo, então estamos agindo bem (ver Lucas 6:32-35).

Essa área na verdade é muito ampla e apresenta uma situação com a qual teremos de lidar regularmente ao longo de nossas vidas. As pessoas estão em toda parte, e nem todas são agradáveis, então precisamos tomar a decisão de como vamos reagir a elas. Você vai agir com base na Palavra de Deus e amar essas pessoas por amor a Ele? Ou vai simplesmente reagir emocionalmente e, talvez, acabar agindo pior do que elas? Você já deixou que uma pessoa rude estragasse o seu dia? Tome a decisão de nunca mais fazer isso porque quando o faz, está perdendo o tempo precioso que Deus lhe deu. Quando um dia termina, nunca podemos tê-lo de volta, assim, incentivo-o a não desperdiçá-lo ficando emocionalmente perturbado por causa de alguém que talvez você nunca mais volte a ver.

Se em sua vida as circunstâncias exigem que você conviva todos os dias com uma dessas pessoas difíceis, recomendo-lhe orar

Capítulo 7

por ela em vez de reagir emocionalmente a ela. Nossas orações abrem a porta para Deus operar. Às vezes, quando oramos, Deus nos leva a confrontar uma pessoa assim. Não estou dizendo que devemos tolerar o mau comportamento das pessoas, mas lembre-se de que o confronto também deve ser feito com um espírito de amor.

Decisão e confissão: *Posso esperar pacientemente pelas coisas que desejo na vida, confiando em Deus para trazê-las no Seu tempo.*

Capítulo Oito

Os Pensamentos São o Combustível dos Sentimentos

> [...] porque Tu és um Deus justo, que conhece a fundo os pensamentos e sentimentos dos homens.
>
> Salmos 7:9 ABV

O salmista Davi fala sobre sentimentos e pensamentos na mesma frase porque eles estão intimamente ligados um ao outro. Precisamos entender o poder dos pensamentos para aprender a administrar as nossas emoções.

Uma estatística diz que embora milhares de pessoas tomem a decisão no primeiro dia do ano de começar a fazer exercícios e paguem para se inscrever em uma academia, somente 16% delas realmente compareçam e continuam com o plano. Este é o exemplo perfeito de uma situação em que uma pessoa queria fazer alguma coisa, tomou a decisão de fazê-la, mas depois permitiu que os sentimentos se tornassem ditadores sobre sua vida. Deus nos deu o livre-arbítrio, e a verdade é que nossos pensamentos e sentimentos não podem nos governar se não permitimos que eles o façam, mas a maioria das pessoas não sabe disso.

Em um dia de dezembro, Mark se olhou no espelho depois de tomar um banho e pensou: *Ganhei peso nos últimos anos e estou fora de forma. Realmente, preciso fazer alguma coisa, então vou comer tudo o que quero até janeiro. Depois, vou começar uma dieta e um programa de exercícios.* Mark sentiu-se bem com a sua decisão e queria assumir um compromisso, então foi até a academia no dia seguinte e se inscreveu. Ele deu o número do seu cartão de crédito no balcão e concordou em pagar 45 dólares por mês durante o ano seguinte para poder exercitar-se ali. Mark saiu da academia se sentindo bem com a sua decisão.

Ele comeu tudo o que queria durante o período de festas e ficava dizendo a si mesmo e aos outros que em janeiro iria iniciar um programa de dieta e exercícios. Janeiro chegou, as festas passaram, e ele acordou na primeira segunda-feira do mês e disse a si mesmo: *Vou à academia hoje.* Ele saiu para o trabalho e até levou suas roupas de ginástica e seus tênis com ele. No trabalho, naquele dia, foi convidado para ir almoçar e por acaso aquele era seu restaurante favorito. Ele pensou: *Isto vai ser difícil porque eles têm aquela lasanha que adoro, e ela com certeza não se encaixa na minha dieta.* Nunca ocorreu a Mark que ele poderia simplesmente recusar o convite se achasse que não poderia almoçar ali e manter sua dieta. Ele simplesmente supôs que a tentação seria demais e, na verdade, ele já tinha planejado o seu fracasso.

O primeiro erro que Mark cometeu foi pensar que resistir à tentação de comer lasanha seria difícil demais. Ele poderia ter pensado: *Quero ir almoçar com meus amigos, mas vou permanecer na minha dieta. Posso fazer isso! Adoro a lasanha deles, mas posso dizer não a ela.* Os nossos pensamentos nos preparam para a ação, e uma vez que Mark já havia pensado que aquilo seria difícil para ele, quando entrou no restaurante e começou a olhar para a lasanha no cardápio, não pôde resistir à tentação, porque já decidira em sua mente que isso aconteceria. Seus sentimentos ligaram-se aos seus pensamentos, e os dois tomaram a decisão por ele.

Todos os carboidratos da lasanha o deixaram sonolento naquela tarde quando saiu do trabalho, e ele pensou: *Talvez eu espere para* começar a me exercitar em outro dia desta semana. *Afinal, já estraguei tudo comendo lasanha, e estou muito cansado hoje de qualquer forma.* É claro que os sentimentos dele concordaram com o plano de ir para casa e descansar. Eles lhe garantiram que não sentiam vontade de se exercitar, e esperar para fazer isso outro dia parecia maravilhoso.

O mês de abril passou, e Mark ainda não tinha começado a dieta nem a se exercitar. Ele tentou algumas vezes, mas seus pensamentos e sentimentos sempre o derrotavam. A academia debitou a despesa em seu cartão de crédito como combinado, e ele pagou 180 dólares por algo que não estava usando. Quando pensava nisso, ele se sentia culpado, mas sua mente lhe dava algumas desculpas: *Tentei me exercitar, mas estão acontecendo muitas coisas em minha vida. Eu realmente gostaria de cuidar melhor de mim mesmo, mas não tenho tempo. Tenho muitas responsabilidades, mas as coisas vão mudar e vou conseguir encontrar tempo para isso.* Ele gostaria de não ter assinado o contrato porque agora ia gastar 540 dólares.

Cada uma dos milhares de pessoas que se inscrevem em uma academia de ginástica em janeiro e nunca aparecem passa por uma história parecida com a de Mark. Elas deixam seus pensamentos e sentimentos controlarem suas decisões. Poderiam ter tido êxito em se disciplinarem se entendessem o poder dos pensamentos e soubessem que elas têm autoridade para escolhê-los em vez de seguir qualquer coisa que lhes venha à mente.

Convença-se a Ter Êxito

Ninguém tem sucesso em um empreendimento apenas desejando isso. As pessoas de sucesso fazem um plano e falam consigo mesmas sobre ele constantemente. Você pode pensar coisas deliberadamente, e se fizer aquilo que pensa que quer fazer, seus sentimentos podem não gostar disso, mas vão acompanhar a sua decisão. Dormi muito bem ontem à noite, e quando acordei às 5 da manhã, não senti

Capítulo 8

vontade de me levantar. Estava tão aconchegante debaixo das cobertas fofinhas, que senti vontade de ficar ali. Mas eu tinha um plano de trabalhar neste livro. Eu havia decidido quantas horas eu ficaria escrevendo hoje e para fazer isso eu tinha de me levantar. Pensei: *Vou me levantar agora!* Exercitei a minha força de vontade e me levantei!

Você presta atenção ao que pensa? Faz o esforço de escolher seus pensamentos ou simplesmente medita em qualquer coisa que lhe vem à cabeça, mesmo que esteja totalmente em desacordo com o que disse que queria da vida? Você não precisa ficar preso na armadilha dos pensamentos negativos. Quando os seus pensamentos estão tomando a direção errada, você os lança fora da sua mente como a Bíblia nos instrui (ver 2 Coríntios 10:5)? Até que ponto está deixando os seus pensamentos e sentimentos lhe governarem? Se não gosta das suas próprias respostas a estas perguntas, a boa notícia é que pode mudar. Como eu disse durante anos, estamos em uma guerra e a mente é o campo de batalha. Nós ganhamos ou perdemos as nossas batalhas com base no fato de ganharmos ou perdermos a guerra que se passa na nossa mente. Aprenda a pensar de acordo com a Palavra de Deus, e as suas emoções começarão a se alinhar com os seus pensamentos.

> *Ninguém tem sucesso em um empreendimento apenas desejando isso. As pessoas de sucesso fazem um plano e falam consigo mesmas sobre ele constantemente.*

Se você passou anos tendo pensamentos errados e permitindo que as suas emoções o guiassem, talvez mudar isso não seja fácil, e definitivamente exigirá um compromisso de estudo, tempo e esforço. Mas os resultados valerão a pena. Não diga "Sou uma pessoa emocional, e não posso evitar a maneira como me sinto." Assuma o controle! Você pode fazer isso!

O Poder de Acreditar no Melhor

As atitudes dolorosas e decepcionantes que as pessoas tomam estão entre aquilo que tende a conturbar as nossas emoções. Contudo, conscientes do fato de que não podemos controlar o que os outros fazem ou muitas das circunstâncias em nossas vidas, precisamos procurar meios de aquietar as nossas emoções com relação a essas coisas.

A Bíblia nos ensina a crer sempre no melhor de todas as pessoas (ver 1 Coríntios 13:7). Se permitimos que os nossos pensamentos nos dirijam, eles geralmente tendem para a negatividade. Infelizmente, a carne sem a influência do Espírito Santo é sombria e negativa.

Aprendemos na Palavra de Deus que temos uma mente carnal e uma mente espiritual (ver Romanos 8:5). Se permitirmos que a mente carnal nos dirija, ficaremos cheios de sentimentos e atitudes mortais. Mas se optarmos por permitir que a mente do Espírito nos dirija, ficaremos cheios de vida e paz em nossas almas, e isso inclui emoções pacíficas e calmas. Incentivo-o a escolher o que contribui para a paz porque Jesus nos chamou para termos paz. Ele nos deixou a Sua paz, mas uma vida de conflitos emocionais não apenas nos torna infelizes, como também pode nos deixar doentes. O estresse é a raiz de uma grande porcentagem de doenças e enfermidades. A falta de tranquilidade gera doenças!

No ano passado, percebi que a maior parte dos meus conflitos emocionais tem origem em problemas com as pessoas. Aprendi por experiência própria que eu não podia controlar as pessoas e o que elas decidiam fazer, então comecei a orar a respeito do que eu podia fazer para não permitir que o que fizessem me angustiasse. Em resposta às minhas orações e por meio do estudo da Palavra de Deus, comecei a obedecer a 1 Coríntios 13:7, optando por crer no melhor de todas as pessoas.

Recentemente uma funcionária disse coisas muito ofensivas e potencialmente prejudiciais sobre alguns membros de minha família e a respeito do ministério. Minha primeira reação foi o choque, depois a decepção, e depois a confusão, porque não conseguíamos entender os motivos dela. Finalmente, veio a raiva. Assumi um compromisso com a paz e recusei-me a permitir que minhas emoções

Capítulo 8

me controlassem, então agi com base no que a Palavra de Deus diz, e decidi acreditar no melhor. Pensei: *Ela está sofrendo com uma situação trágica em sua vida e provavelmente está agindo em resultado de sua própria dor. Duvido que ela tenha sequer percebido claramente o impacto potencial de suas palavras.* Comecei a orar por ela, e quando as pessoas me perguntavam o que eu achava, dizia-lhes que estava surpresa e que não entendia por que ela fizera aquilo, mas depois repetia a minha ideia sobre "pensar o melhor". Percebi que todas as vezes que eu adotava essa abordagem, isso me acalmava emocionalmente e tinha o mesmo efeito sobre outras pessoas envolvidas.

Sempre acreditei que podemos pensar positivamente tão bem quanto podemos pensar negativamente.
Sugar Ray Robinson

Realmente, creio que a Palavra de Deus está cheia de segredos poderosos. Não são coisas que estão escondidas, mas definitivamente são coisas que foram ignoradas. Li isto durante anos: "O amor sempre acredita no melhor de cada pessoa" (ver 1 Coríntios 13:7, AMP). Segui esse conselho em obediência a Deus, mas apenas recentemente entendi que quando pensamos o melhor, é como se tivéssemos tomado uma pílula espiritual para os nervos: pelo fato de os nossos pensamentos estarem ligados às nossas emoções, quando temos pensamentos bons, nos sentimos bem emocionalmente.

Mesmo que a motivação de uma pessoa seja má, ainda posso me proteger acreditando no melhor. Não sou responsável pelos atos e motivos de outra pessoa, mas sou responsável pela minha reação aos seus atos. Decidi acreditar que Deus podia criar coisas boas a partir do que parecia uma situação ruim, e isso me fez sentir-me muito melhor. Nunca se convença de que precisa ficar fora de controle só porque não pode controlar as pessoas e as coisas que o cercam. Aprenda a viver a vida interior em vez da vida exterior, e você terá pensamentos agradáveis e emoções calmas.

> [...] Se o seu inimigo tiver fome, dê-lhe de comer; se tiver sede, dê-lhe de beber. Fazendo isso, você amontoará brasas vivas sobre a cabeça dele. Não se deixem vencer pelo mal, mas vençam o mal com o bem.
>
> Romanos 12:20-21

As brasas vivas que a passagem menciona não são a recompensa pelo que o inimigo fez, na verdade, elas são o fogo do amor que você está demonstrando e que finalmente derrete a dureza do coração do seu inimigo.

Por fim, a funcionária que mencionei pediu demissão, e decidimos nos esforçar para fazer mais do que o necessário e oferecer um bom pacote de desligamento para que ela tivesse tempo de se curar de sua tragédia emocional antes de precisar procurar outro emprego. Oramos com ela e continuamos a orar por ela e a confiar em Deus para pegar o que Satanás quis usar para o mal e fazer que aquilo cooperasse para o nosso bem (ver Gênesis 50:20).

Este segredo bíblico de acreditar no melhor pertence a todos os filhos de Deus. Tudo que você precisa é seguir a Deus em vez de seguir os seus sentimentos. Quando fizer isso, a intensidade dos seus sentimentos enfraquecerá, porque você não os estará alimentando com pensamentos negativos. Temos de tomar a decisão enquanto os nossos sentimentos ainda estão agitados, mas prometo-lhe que eles se acalmarão se seguir o plano de Deus.

Deus não nos deixou indefesos nessas situações. Estamos no mundo, mas Ele nos encoraja a não sermos do mundo. Isto significa que se lhe obedecermos, estaremos escondidos nele, um lugar onde mil podem vir contra nós, mas não precisaremos temer.

> Mil poderão cair ao seu lado, dez mil à sua direita, mas nada o atingirá. Você simplesmente olhará, e verá o castigo dos ímpios.
>
> Salmos 91:7-8

Capítulo 8

Sem Gasolina

Se precisarmos de combustível para o nosso carro e pararmos em um posto e encontrarmos uma placa que diz DESCULPE, NÃO TEMOS GASOLINA, ficaremos decepcionados, mas iremos procurar outro posto. Creio que o diabo precisa encontrar um cartaz que diz NÃO TEMOS GASOLINA na nossa mente quando ele vier gerar problemas em nossas vidas. Ele sempre poderá encontrar alguém que abrigue os seus sentimentos venenosos, mas você pode deixar claro para ele que não vai ser você.

Pense nas coisas que o fazem feliz. Eu poderia ficar sentada aqui agora mesmo e me irritar se eu quisesse. Tudo que precisaria fazer seria tirar cerca de quinze ou vinte minutos e pensar na minha infância. Então, poderia pensar em todas as pessoas em minha vida que me feriram e decepcionaram. Poderia pensar em todas as coisas que não deram certo da maneira que eu esperava, e depois poderia imaginar que mais coisas ruins provavelmente estão a caminho. Se fizesse isso, garanto que começaria a me sentir emocionalmente deprimida, e depois extremamente irada. Por que optaríamos por nos tornarmos infelizes? Pergunte a si mesmo por que iria querer fazer isso e depois tome a decisão de nunca fazer isso novamente.

Na próxima vez que as suas emoções estiverem começando a se desequilibrar ou sendo abaladas, pare e pergunte a si mesmo em que você esteve pensando ou até falando. Se fizer isso, provavelmente localizará a raiz do seu problema.

Faça Isto ou Seja Infeliz

Assim como a maioria das pessoas, você provavelmente gostaria que houvesse uma maneira mais fácil de viver, mas não há. Então, pode decidir fazer as coisas do jeito de Deus ou ser infeliz. Geralmente, tentamos tomar o caminho mais fácil, mas todos eles levam à destruição. A Bíblia descreve esses caminhos como "largos" porque não é necessário muito esforço para permanecer neles. Somos encorajados por Deus a tomar o caminho estreito, o caminho mais difícil, mas que também é aquele que leva à vida: "Esforcem-se para entrar pela porta estreita, porque eu lhes digo que muitos tentarão entrar e não conseguirão" (Lucas 13:24).

Temos de fazer um forte esforço para avançar em meio à negatividade deste mundo, mas se fizermos a nossa parte, Deus sempre fará a dele. Nem todos estão dispostos a fazer esse esforço e entrar pela porta estreita; a maioria das pessoas é viciada em tranquilidade e simplesmente se deixa levar ao sabor dos seus sentimentos. Mas escrevo este livro na esperança de que meus leitores não estejam entre os muitos que não entrarão.

Jesus morreu para que pudéssemos ter uma vida maravilhosa e abundante, cheia de paz, alegria, poder, sucesso e de todas as coisas boas, mas precisamos beber o cálice que Ele bebeu. Ele estava disposto a ir para a cruz e pagar pelos nossos pecados embora, fisicamente, mentalmente e emocionalmente tenha sido muito difícil. Nós também precisamos estar dispostos a fazer o que é certo, e a nossa recompensa certamente virá.

Estude a Palavra de Deus regularmente, e quando os problemas surgirem, já terá o seu tanque espiritual cheio do combustível que o capacitará a fazer as escolhas certas. Não seja o tipo de pessoa que só ora ou tem tempo para Deus quando tem vontade ou quando acontece algum desastre. Busque a Deus porque você sabe que não pode navegar em segurança neste mundo sem Ele. Na verdade, não podemos fazer nada de valor sem Ele.

Você e eu podemos deixar a nossa mente vaguear sem rumo, dia após dia, e podemos ser controlados pelas nossas emoções, ou podemos optar por cingir a nossa mente, escolhendo nossos pensamentos com cuidado, e controlar as nossas emoções. Deus colocou diante de nós a vida e a morte, o bem e o mal, e nos deu a responsabilidade de fazermos a escolha (ver Deuteronômio 30:19).

Capítulo 8

Se você escolher o que é certo mesmo quando os seus sentimentos querem fazê-lo acreditar que é errado, estará crescendo espiritualmente e avançando em direção à vida que realmente quer desfrutar. Fazer o que é fácil significa estagnação, ou, o que é pior, uma regressão de todo progresso que foi feito no passado. Deus nunca fica imóvel. Ele está sempre se movendo, e nos convida a segui-lo. Gosto de dizer: "Entre, saia, ou seja atropelado." Decida-se arder em chamas por Deus, ou decida-se ser frio, mas não viva no engano de ser apenas morno. Podemos nos mover com Deus, mas se nos movermos contra Ele ignorando os Seus princípios, colheremos o que plantamos e não gostaremos da colheita que teremos.

A Ciência e o Cérebro

A Dra. Caroline Leaf dedica-se ao estudo das áreas do aprendizado, da inteligência e das pesquisas relativas ao cérebro há mais de 25 anos. Como uma cristã nascida de novo que trabalha em universidades, ela percebeu que havia um vínculo entre a ciência e o cérebro. Ela afirma que isso se tornou muito real para ela depois de ler meu livro intitulado *Campo de Batalha da Mente*. Ela percebeu que eu estava descobrindo, como mestre da Bíblia, o que ela também descobrira como cientista. Ela ensina com base em um ponto de vista científico como as pessoas podem colocar informações novas em seus cérebros simplesmente escolhendo pensamentos novos. A Dra. Leaf provou cientificamente, observando a atividade do cérebro durante as pesquisas, que podemos substituir velhos pensamentos prejudiciais por novos. Ela afirma que as células nervosas de nosso cérebro se parecem com pequenas árvores com muitos galhos.

Durante uma entrevista em meu programa de TV, a Dra. Leaf afirmou o seguinte:

> ∽ Ensino as pessoas a entenderem que um pensamento é algo real. Creio que muitas pessoas pensam que um pensamento

Os Pensamentos São o Combustível dos Sentimentos

é simplesmente algo que está lá fora e que elas não podem sentir ou tocar. Mas, na verdade, ele é algo real. À medida que está pensando, você está realmente construindo memórias em seu cérebro e os pensamentos em seu cérebro se parecem com árvores. O interessante é que se o pensamento é bom, com base em alguma coisa positiva, ele tem uma aparência diferente de um pensamento negativo.

O pensamento tóxico, como eu me refiro a eles, afetará todo o seu corpo. Ele forma um tipo de química diferente do pensamento positivo. O pensamento tóxico faz pequenos espinhos crescerem nas células nervosas. Esses espinhos são pequenas bolsas de substâncias químicas, e essas substâncias químicas são tóxicas. Elas jorram o seu veneno, o que pode deixar a pessoa doente. O veneno vai primeiramente para o coração e começa a sufocá-lo, depois para o sistema imunológico e quebra as suas defesas e facilita o surgimento de doenças em seu corpo.

Perguntei à Dra. Leaf se podíamos fazer alguma coisa a respeito dos danos que já haviam sido causados, e ela me garantiu que a resposta é sim.

Ela disse:

 Dentro de um prazo de quatro dias, podemos mudar o nosso circuito neural. Até mesmo enquanto me ouve agora, você o está transformando. São necessários quatro dias para começar a retirar os espinhos das árvores. São necessários 21 dias para realmente se estabelecer uma memória sem os espinhos, e depois fazermos crescer uma nova memória sobre a antiga.

Aprendemos na Palavra de Deus que devemos renovar a nossa mente e as nossas atitudes por meio do estudo e da meditação na Palavra de Deus, e por intermédio dessa renovação podemos entrar na vida abundante que Deus planejou para nós. A Dra. Leaf afirma

Capítulo 8

que se arrepender e perdoar alguém com quem estamos irados são as melhores maneiras de começar a retirar os espinhos dos nossos galhos. Ela também afirmou que mesmo depois de todos os espinhos terem sido retirados, podemos reconstruí-los começando a pensar negativamente outra vez. A renovação da mente é um processo constante e que dura a vida inteira, e para ser sincera, temos de trabalhar nele todos os dias.

Decisão e confissão: *Creio sempre no melhor de todas as pessoas, e sou muito positivo.*

Capítulo 9

As Palavras São o Combustível das Emoções

As palavras são o combustível das emoções, assim como os pensamentos. Na verdade, as nossas palavras dão expressão verbal aos nossos pensamentos. Já é bastante ruim ter um pensamento negativo, mas verbalizar algo negativo torna as coisas ainda piores. O efeito que isso exerce sobre nós é inestimável. Ah, como eu gostaria que todos no mundo entendessem o poder de suas palavras e aprendessem a disciplinar o que sai de suas bocas! As palavras são receptáculos de poder, e como tal, têm um efeito direto sobre as nossas emoções. As palavras dão combustível para o bom humor ou o mau humor; na verdade, elas exercem um impacto enorme sobre as nossas vidas e relacionamentos.

> Dar resposta apropriada é motivo de alegria; e como é bom um conselho na hora certa!
>
> **Provérbios 15:23**

Em Provérbios 21:23, nos é dito que se guardarmos a nossa boca e a nossa língua, nos guardaremos de problemas. Provérbios também nos diz: "A língua tem poder sobre a vida e sobre a morte; os que gostam de usá-la comerão do seu fruto" (Provérbios 18:21). A mensagem não pode ser mais clara que isso. Se dissermos coisas boas e positivas, então ministraremos vida a nós mesmos. Aumentaremos a emoção da alegria. Entretanto, se dissermos palavras negativas, ministraremos morte e infelicidade a nós mesmos; aumentaremos a nossa tristeza, e o nosso humor cairá vertiginosamente.

> *As palavras são receptáculos de poder, e como tal, têm um efeito direto sobre as nossas emoções.*

Por que não ajudar a si mesmo desde a primeira hora todos os dias? Não se levante a cada manhã e espere para ver como se sente e depois repita cada sentimento para cada pessoa que queira ouvir. Se fizer isso, estará dando autoridade às suas emoções sobre você e se tornará escravo delas, e essa definitivamente não é uma boa posição para se estar.

Às Vezes, Apenas Dizer Algo *Faz* Aquilo Acontecer

Harry se levantou ontem pela manhã e sentiu-se um pouco deprimido. Ele não entendeu por que se sentia assim, e começou a reclamar com sua esposa. Ele disse: "Não sei por que estou me sentindo tão para baixo hoje. Creio que estou ficando deprimido. E este não é um bom dia para ter mau humor porque tenho de fazer uma apresentação no trabalho que irá definir se vamos conseguir ou não aquela nova conta da qual lhe falei." Durante o banho e o café da manhã, ele pensou: *Gostaria de estar me sentindo feliz, mas estou me sentindo pior a cada minuto. Que dia para estar com este péssimo humor.* Quando Harry saiu para o trabalho, ele já estava sentindo pavor de ter de enfrentar aquele dia.

A caminho do escritório, ficou preso em um enorme engarrafamento devido a um sinal de trânsito quebrado. "Ótimo! Era só o que faltava", disse ele, falando consigo mesmo. "Era tudo que eu precisava. Agora, além da maneira como me sinto, vou chegar atrasado. Era só o que me faltava… mais pressão." Ele venceu o trânsito e enquanto tentava entrar no estacionamento que sempre utilizava, encontrou a entrada bloqueada com um cartaz informando que as linhas que marcavam as vagas estavam sendo repintadas naquele dia. Quanto mais irritado ficava, tanto pior ficava o seu humor, e quanto mais o seu humor piorava, tanto mais ele dizia coisas que alimentavam isso e pioravam ainda mais a situação.

Harry finalmente chegou ao escritório e deu uma última olhada em suas anotações antes de dirigir-se à sala da diretoria para encontrar-se com o novo cliente em potencial. Outras coisas pequenas aconteceram que o irritaram ainda mais. Um homem disse que a sala estava fria e perguntou se poderiam ligar o aquecimento. Harry já estava quente!

Ele estava prestes a começar sua apresentação quando alguém recebeu um telefonema no celular. Ele teve de aguardar enquanto todo o grupo verificava para garantir que seus celulares estavam desligados. Harry estava pensando em coisas nada gentis, como: *Essa gente idiota, por que não pensaram nisto antes da reunião começar?* Quando iniciou sua apresentação, seu tom de voz estava um pouco áspero. Ele não sorriu nem uma vez durante a apresentação — isso nem lhe passou pela cabeça.

A esta altura, Satanás estava influenciando a mente de Harry, sua boca, seu humor e a sua atitude. Durante todo o tempo da apresentação, ele pensava: *Isto é inútil; eles não vão nos escolher. Estou fazendo um trabalho péssimo, e tudo isto porque acordei de mau humor. Não sei por que estas coisas acontecem. Elas sempre acontecem na hora errada. Eu precisava estar de bom humor hoje, e com muitos sentimentos alegres, mas em vez disso, estou deprimido. Por que eu tinha de me sentir assim logo hoje?*

Harry não conseguiu a conta, seu chefe não ficou satisfeito com ele, e ele foi seriamente repreendido por sua atitude. Ele voltou à sua sala, fechou a porta, e ligou para sua esposa. Ele outra vez lembrou toda a sua falta de sorte. Falou sobre o assunto durante 45 minutos e depois disse que estava tão deprimido que não conseguia mais falar.

Capítulo 9

A história de Harry é fictícia, mas também é clássica; coisas como essas acontecem às pessoas o tempo todo. Mas poucas percebem que poderiam ter dado uma reviravolta no dia bem cedo, escolhendo pensar em alguma coisa boa e dizendo coisas positivas independentemente de como se sentissem ao acordar. Você e eu podemos transformar o mau humor dizendo algo feliz. Fale sobre as suas bênçãos, ou a respeito de algo que está esperando ansiosamente, e logo verá o seu humor melhorar. Não estou sugerindo que você pode controlar todas as suas emoções com as suas palavras, mas sei por experiência própria que pode ajudar a si mesmo. Podemos nos convencer a ficarmos com um humor melhor quando for preciso.

Por que nos sentimos como nos sentimos? Talvez seja porque falamos como falamos!

A Mente do Homem Sábio Instrui a Sua Boca

A Bíblia fala dos homens sábios e dos homens tolos. Ela diz que a boca do tolo é a sua ruína, e que os seus lábios são um laço (armadilha) para ele (ver Provérbios 18:7). Uma pessoa precisaria ser realmente tola para usar sua boca e suas palavras para arruinar a própria vida, mas as pessoas fazem isso o tempo todo. Por quê? Simplesmente porque elas não entendem o poder das palavras. Sabemos que as nossas palavras afetam as outras pessoas, mas será que entendemos que as nossas palavras nos afetam e as nossas vidas? Harry é um exemplo perfeito. A história dele pode ser fictícia, mas todos nós conhecemos pessoas como Harry na vida real que pelo seu modo de falar se envolvem em todo tipo de situações negativas.

Não é de admirar que Provérbios 17:20 nos diga que "O homem de coração perverso não prospera, e o de língua enganosa cai na desgraça".

Um dos maiores erros que cometemos é pensar que não temos controle a respeito da maneira que nos sentimos ou sobre o que fazemos. Deus nos deu espírito de disciplina e domínio próprio, e chama-se *domínio próprio* porque Deus nos dá essa ferramenta para nos dominarmos. Todos nós a temos, mas será que a utilizamos? Qualquer coisa que tivermos, mas nunca usarmos, torna-se dormente e sem poder. Você exercita-se regularmente? Por quê? Faz isso para manter seus ossos e seus músculos fortes — para proteger a sua saúde.

O autor de Provérbios nos diz que "Quem é cuidadoso no que fala evita muito sofrimento" (21:23). *Este* é um homem sábio.

Milhões de pessoas vivem vidas miseráveis e infrutíferas porque estão enganadas. Elas acreditam que são meras vítimas de qualquer coisa que surge em seu caminho. Se despertam pela manhã sentindo-se deprimidas, elas não oferecem nenhuma resistência, mas supõem erroneamente que devem comportar-se da maneira que se sentem. Sei muito bem disso porque vivi nesse mesmo tipo de engano durante grande parte de minha vida. Se a pessoa enganada é ofendida, sente-se irada, e geralmente expressa a sua ira e até agarra-se a ela como se fosse o prêmio de uma guerra. Ocorre a poucos que eles podem deixar a ira de lado e confiar em Deus para vingá-los.

> *Você não pode controlar o vento, mas pode ajustar as velas.*

O mundo está cheio de pessoas desanimadas e oprimidas que poderiam melhorar a sua situação simplesmente escolhendo continuar com esperança. Quando aprendemos o poder da esperança e o praticamos, ele é um hábito difícil de ser quebrado. Assim como uma pessoa pode formar o hábito de ficar desanimada todas as vezes que as coisas não acontecem como deseja, ela pode aprender a se encorajar quando tem esperança de que uma bênção a espera bem do outro lado da esquina.

O que dizemos em tempos difíceis determina por quanto tempo a dificuldade irá durar e o grau de intensidade dessa dificuldade. Com certeza não estou dizendo que podemos controlar tudo que nos acontece ao escolhermos as palavras certas para dizer, mas podemos controlar a maneira que reagimos às coisas que nos acontecem, e escolher palavras e pensamentos certos nos ajuda a fazer isso. Você não pode controlar o vento, mas pode ajustar as velas.

Diga o Que Você Disser com um Propósito

Provavelmente nunca escrevi um livro que não incluísse algum ensinamento sobre o poder das palavras, e talvez nunca o faça. Isto demonstra o quanto este tema é importante, e quero que leve isto a sério. Há um tempo para falar e um tempo para calar. Às vezes, a melhor coisa que podemos fazer é não dizer nada. Quando dissermos alguma coisa, é sábio pensar primeiro se aquilo que vamos dizer tem um propósito. Se realmente acreditamos que nossas palavras estão cheias de vida ou morte, por que não escolhemos aquilo que dizemos com mais cuidado?

> Até o insensato passará por sábio, se ficar quieto, e, se contiver a língua, parecerá que tem discernimento.
>
> Provérbios 17:28

Creio firmemente que *se fizermos o que podemos fazer, Deus fará o que não podemos fazer*. Podemos controlar o que sai de nossa boca com a ajuda do Espírito Santo e aplicando princípios de disciplina. Até quando falamos sobre os nossos problemas ou a respeito de coisas que nos incomodam, podemos falar sobre essas coisas de uma maneira positiva e cheia de esperança.

Tenho tido alguns problemas nas costas, e minha filha Sandy me telefonou esta manhã para saber como minhas costas estavam. Disse-lhe que elas ainda estavam doendo, mas que eu era grata porque não estavam tão mal quanto poderiam estar. Eu disse: "Estou dormindo bem, e isto é um bom sinal." Em outras palavras, eu não neguei o problema, mas estou me esforçando para ter um panorama positivo dele. Estou determinada a olhar para o que tenho e não apenas para o que não tenho. Sei que, com o tempo, a dor nas costas será tratada, e creio que até lá Deus me dará forças para fazer o que preciso fazer.

Em 1911, o quadro de *Mona Lisa* desapareceu e não pôde ser encontrado por dois anos. Ele foi roubado. Mas ocorreu um fenômeno interessante referente à natureza humana. Durante os dois anos da sua ausência, mais pessoas olharam para o lugar onde ele estivera do que o número de pessoas que realmente viram a pintura durante os dois anos anteriores ao roubo.

Assim como todos os visitantes que visitam o Louvre, muitas pessoas passam suas vidas mais preocupadas com o que está faltando do que com o que têm, e infelizmente elas geralmente falam mais sobre seus problemas do que acerca de suas bênçãos. Falar a respeito dos problemas faz que coloquemos o foco neles, e como costumo dizer: "Aquilo em que colocamos o nosso foco torna-se cada vez maior." Creio que a infelicidade é uma opção! As coisas não nos fazem infelizes sem a nossa permissão.

Robert Schuller disse: "A boa notícia é que as más notícias podem ser transformadas em boas notícias quando você muda de atitude." E se não consegue ter uma boa atitude com relação a alguma coisa que o está fazendo infeliz, você pode pelo menos procurar minimizar a atitude negativa.

Minha amiga Antoinette, que mora em Nova York, me contou algo que aconteceu recentemente que a irritou tremendamente. Ela estava dirigindo para casa após visitar alguns parentes depois de um fim de semana de feriado prolongado. Quando ela se aproximou da Ponte George Washington, havia um congestionamento de centenas de carros perto do pedágio. O trânsito estava muito lento, e enquanto ela seguia uma caminhonete grande à sua frente e passava por uma série de cones de sinalização, ela ouviu uma sirena, vindo de trás, e um policial dizendo pelo megafone para ela parar e sair do carro.

Capítulo 9

Ele a tratou como uma criminosa, falando alto e dando ordens para que ela entregasse a habilitação, os documentos do carro e os papéis do seguro e que voltasse para dentro do carro. Ela não fazia ideia do que fizera de errado, e educadamente perguntou-lhe qual era o problema. Ele ignorou a pergunta e começou a escrever uma notificação. Alguns minutos depois, ele a chamou até o carro dele e disse: "A senhora viu estes cones. Agora a senhora vai ao tribunal."

Para piorar as coisas, a notificação não continha uma multa, mas havia uma data para uma audiência — ela foi citada para comparecer perante um juiz dentro de três semanas. Agora ela teria de pedir licença no trabalho para comparecer ao tribunal... e nem sequer sabia o que fizera de errado!

Ela estava sob muita pressão, e aquele incidente a desestabilizou completamente. Ela começou a chorar, chorou o tempo todo enquanto atravessava a ponte, e ainda estava chorando quando chegou em casa meia hora depois. Obviamente, ela estava angustiada com alguma coisa além da notificação que recebeu.

Normalmente, ela teria contado a seus amigos e colegas de trabalho sobre o incidente, já que ele era a lembrança prioritária do seu feriado. Mas por volta do dia seguinte mais ou menos, toda vez que era tentada a contar a história, ela se continha.

Ocorreu-lhe que falar a respeito do incidente só reforçaria o seu mau humor e a irritaria. Então, quando seus amigos lhe perguntavam sobre o seu fim de semana, ela só falava sobre as partes boas e não mencionava o seu encontro com a lei.

Antoinette aprendeu uma grande lição: ao decidir não falar sobre seus problemas, ela, na verdade, conseguiu manter o seu caos interior em um nível mínimo.

Se você tomar a decisão de dizer o mínimo possível sobre os seus problemas e decepções na vida, eles não vão dominar os seus pensamentos e o seu humor. E se as suas conversas forem tanto quanto possível a respeito das suas bênçãos e expectativas esperançosas, a estrutura da sua mente as acompanhará. Esteja certo de que

As Palavras São o Combustível das Emoções

cada dia seja cheio de palavras que alimentem a alegria, e não a raiva, a depressão, a amargura e o medo. Fale com um humor melhor! Encontre algo positivo para dizer em todas as situações.

Alguém ouviu um garotinho falando consigo mesmo enquanto caminhava pelo quintal, com o seu boné de beisebol e carregando uma bola e um taco: "Sou o maior rebatedor do mundo", ele anunciava. Então lançou a bola no ar, sacudiu o bastão na direção dela, e errou. "Strike 1!" ele gritou. Destemido, pegou a bola e disse novamente: "Sou o maior rebatedor do mundo!" Ele lançou a bola no ar. Quando ela desceu o menino sacudiu o bastão novamente e errou. "Strike 2!" ele gritou. Então o menino parou por um instante para examinar o bastão e a bola com atenção. Ele cuspiu nas mãos e esfregou-as. Endireitou o boné e disse outra vez: "Sou o maior rebatedor do mundo!" Novamente, ele lançou a bola no ar e sacudiu o bastão. Ele errou. "Strike 3!" "Uau!" ele exclamou. "Sou o maior lançador do mundo!"

Aquele garoto tinha uma atitude tão positiva que concluiu que se errou a bola três vezes, a única razão possível era o fato de que ele era um lançador tão bom que nem ele conseguia rebater a própria jogada. Ele estava decidido a dizer alguma coisa positiva, e eu imagino firmemente que a sua determinação impediu que ele desanimasse e ficasse mal-humorado e triste.

Decisão e confissão: *Direi coisas positivas e cheias de esperança, independentemente de como eu me sinta.*

Capítulo 10

Afinal, Posso Controlar *Alguma* Coisa?

Não é de admirar que nós, humanos, queiramos controlar as coisas... existem tantas coisas *fora* do nosso controle. Mas infelizmente, em vez de nos ocuparmos tentando nos controlar, geralmente procuramos controlar o que não deveríamos. Passei anos querendo controlar as pessoas que me cercavam assim como as minhas circunstâncias ao redor porque eu tinha medo de ser magoada ou que tirassem vantagem de mim. Mas a única coisa que consegui foi ficar constantemente frustrada e irada.

Levei muito tempo para entender que as pessoas reagem de forma muito defensiva quando tentamos controlá-las. Todos têm o direito de escolha, dado por Deus, e as pessoas se ressentem de qualquer um que queira tirar isso delas. Finalmente, entendi que o que eu estava fazendo não provinha de Deus e, portanto, jamais iria funcionar. Eu não apenas nunca teria paz por causa do meu comportamento, como também estava sistematicamente me afastando da maioria das pessoas com quem queria me relacionar.

Infelizmente, desperdicei muitos anos nessa busca impossível antes de perceber que Deus queria que eu lhe entregasse o controle de cada área da minha vida. Quando você para e pensa no assunto, percebe que Ele está no controle, de qualquer forma! Mas a nossa paz vem à medida que rendemos a Deus o nosso desejo de estar no controle e, em vez disso, confiamos nele.

Deus deseja que usemos as ferramentas maravilhosas que Ele nos deu para nos controlarmos em vez de tentarmos controlar as pessoas e as coisas. Ele nos deu a Sua Palavra, o Seu Espírito Santo, e uma grande variedade de bons frutos que podemos desenvolver. O domínio próprio é, na verdade, um fruto da vida guiada pelo Espírito (ver Gálatas 5:22-23). Se você tem a tendência de querer controlar as pessoas e as circunstâncias que o cercam, quero lhe sugerir firmemente que desista disso e comece a controlar a si mesmo. Esta é a sua oportunidade de dizer: "Estou no controle."

Embora aprender a nos controlar exija paciência e resistência, vale muito a pena no final. As minhas circunstâncias têm muito menos controle sobre mim agora, simplesmente porque a minha primeira reação geralmente é trabalhar com Deus em como vou reagir à circunstância. *Estou no controle controlando a mim mesma.* Quando a sua circunstância for desagradável ou mesmo extremamente dolorosa, exerça o domínio próprio. Diga algo positivo do tipo: "Isto também passará, e irá cooperar para o meu bem no final." Então, discipline-se para investir o seu tempo em alguma coisa que beneficie outra pessoa. O melhor remédio é fazer algo de bom como resposta ao ataque do diabo contra você.

> *Estou no controle controlando a mim mesma.*

Somos Mais Felizes Quando Ajudamos Alguém

Um estudo do princípio conhecido como Regra de Ouro foi conduzido por Bernard Rimland, diretor do Instituto de Pesquisas do Comportamento Infantil. Pediram a cada pessoa envolvida no estudo para enumerar dez pessoas que conhecia melhor e rotulá-las

Capítulo 10

como felizes ou não felizes. Em seguida, elas deveriam rever a lista e rotular cada uma delas como egoístas ou não egoístas. Rimland descobriu que todas as pessoas rotuladas como felizes também estavam rotuladas como não egoístas. "As pessoas mais felizes são aquelas que ajudam os outros", ele concluiu. "Faça aos outros como você quer que eles lhe façam."

Deus nos dá a capacidade de amar os outros em todo o tempo, mas esta capacidade é desenvolvida somente à medida que a exercitamos; e todos sabemos que o exercício requer disciplina e domínio próprio. Comece a fazer a coisa certa deliberadamente, em vez de simplesmente se deixar escravizar pelo que você está sentindo no momento.

Não temos de esperar para ver como nos sentimos a respeito de alguma coisa e depois reagirmos. Podemos reagir adequadamente, independentemente da maneira que nos sentimos. Você quer realmente ser escravo das suas emoções a vida inteira? Estou certa de que não, mas você é a única pessoa que pode impedir que isso aconteça.

A disciplina talvez seja um dos conceitos mais mal-entendidos de todos os tempos. Não creio que eu conheça alguém que abra um sorriso de expectativa quando se fala em exercitar a disciplina. Mas a verdade é que a *disciplina é nossa amiga, e não nossa inimiga*. Ela nos ajuda a viver a vida e a desfrutá-la ao máximo, até o fim. A disciplina pode não colocar um sorriso em nosso rosto enquanto está em ação, mas o seu fruto é uma vida de sucesso e cheia de alegria.

> *A disciplina é nossa amiga, e não nossa inimiga.*

Duvido que seja possível encontrar uma pessoa feliz e de sucesso que não se discipline regularmente. Disse-lhe no início que você precisaria tomar uma decisão à medida que estivesse lendo este livro. Independentemente do que leia ou estude, nada irá ajudar, a não ser que você tome decisões. Você quer ser feliz e ter sucesso? Em caso positivo, então a disciplina é uma necessidade, e disciplinar as emoções é especialmente importante.

A personalidade humana consiste de 4/5 de emoção e 1/5 de intelecto. Isso significa que as nossas decisões são tomadas com base em 80% de emoção e 20% de intelecto ou razão. Não é de admirar que vejamos tantas pessoas tomar decisões erradas! Muitas das nossas decisões são boas, mas se não prosseguirmos adiante com elas, não significarão nada. A emoção nos ajuda a começar a seguir na direção certa, mas ela raramente está presente na linha de chegada. Mais cedo ou mais tarde, teremos de seguir em frente sem o apoio das emoções e aplicar a disciplina.

Traduzida da língua grega, a palavra *disciplina* significa "salvar a mente ou ficar seguro; uma advertência ou um chamado à sensatez mental ou ao domínio próprio". Em outras palavras, uma pessoa que está pensando adequadamente com sensatez mental se disciplinará em todas as áreas de sua vida. Creio que os nossos pensamentos, palavras e emoções estão entre as áreas mais importantes que precisamos disciplinar. Uma pessoa disciplinada deve manter a atitude mental correta para com os problemas que surgem. É muito mais fácil manter a atitude correta do que recuperá-la uma vez que ela tenha sido perdida. Não permita que esse pensamento passe sem refletir sobre ele. Deixe-me dizer isso novamente: *É muito mais fácil manter a atitude correta do que recuperá-la uma vez que ela tenha sido perdida.*

> Pois Deus não nos deu espírito de covardia, mas de poder, de amor e de equilíbrio.
>
> 2 Timóteo 1:7

Podemos ver claramente nessa passagem que Deus nos equipou com uma mente sensata, uma mente que permanece calma (não emocional) disciplinada e controlada. Entretanto, precisamos escolher usar a nossa mente equilibrada. Ter uma coisa não adianta se não a usamos, e quase sempre é doloroso começar a usar algo que permaneceu inerte por muito tempo. Quando comecei a me exercitar na academia e a usar os músculos, posso lhe garantir que foi doloroso. É lógico que se uma pessoa permitiu que suas emoções tivessem controle e passou a maior parte da sua vida fazendo o que sentia vontade, será doloroso quando ela começar a exercitar a disciplina. É difícil fazer uma coisa a que não estamos acostumados, mas se não a fizermos, lamentaremos mais tarde.

Dave diz: "Podemos nos tornar responsáveis voluntariamente, ou por fim seremos responsabilizados pelas nossas circunstâncias." Se uma pessoa não disciplina seus gastos, ela finalmente será responsabilizada pela dívida em que incorreu e pela pressão e problemas que causar. Se uma pessoa não se disciplinar para fazer o que é necessário para manter um bom casamento, ela pode acabar tendo um divórcio caótico com muitas pessoas machucadas.

Hannah Whitehall Smith, autora do livro *The Christian's Secret of a Happy Life* (O Segredo do Cristão para uma Vida Feliz), disse: "Deus disciplina a alma pelos exercícios internos e as providências externas." O que ela quer dizer é que Deus colocará dentro do nosso coração a coisa certa a fazer em todas as situações, mas se optarmos por não fazê-la, então Ele permitirá que as nossas circunstâncias se tornem o nosso professor.

Quero Isto, e Vou Conseguir!

Embora a determinação seja um grande bem e um ingrediente vital para o sucesso, ela pode ser pouco atrativa e perigosa se estiver enraizada nas paixões carnais e não na vontade de Deus.

O livro de Judas menciona três homens cuja atitude foi: "Quero isto, e vou conseguir!" Essa atitude trouxe destruição à vida de cada um deles.

> Ai deles! Pois seguiram o caminho de Caim, buscando o lucro caíram no erro de Balaão, e foram destruídos na rebelião de Corá.
>
> Judas (v. 11)

Afinal, Posso Controlar *Alguma* Coisa?

Caim, Balaão e Corá se entregaram à emoção desenfreada por aquilo que achavam que ela lhes traria, e a rebelião deles contra Deus e contra a sabedoria que Ele havia colocado neles os levou a perecer. Caim queria ter o favor que seu irmão, Abel, tinha com Deus, mas ele não queria fazer o que Abel fez para consegui-lo. Abel levou a sua melhor oferta para Deus, enquanto Caim levou qualquer coisa, mas não o seu melhor. Deus aceitou Abel e sua oferta, mas não aceitou a oferta de Caim, e quando Caim demonstrou ciúmes e ódio por seu irmão, Deus disse: "... o pecado o ameaça à porta; ele deseja conquistá-lo, mas você deve dominá-lo" (Gênesis 4:7).

Caim não lidou com a sua paixão pecaminosa e com o desejo errado, e se levantou e matou seu irmão. Por não ter disciplinado suas emoções, ele passaria o restante de sua vida debaixo de uma maldição. Deus lhe disse que quando ele arasse o solo, este não lhe daria a sua força; e que ele seria um fugitivo e vagabundo na terra, vivendo em exílio perpétuo como um pária desprezado. Pare por um instante e pergunte a si mesmo se as emoções desenfreadas de Caim lhe trouxeram alegria e sucesso.

Em Números 16, encontramos Corá, um dos 250 homens que se levantaram contra Moisés, o homem escolhido por Deus para conduzir os israelitas à Terra Prometida. Aparentemente, Corá e seus associados não gostaram da escolha que Deus fizera, e tiveram ciúmes da autoridade de Moisés. Eles se reuniram contra Moisés e Arão, reclamando que eles estavam se exaltando acima de todos os outros. Em outras palavras, "Moisés, nós não estamos gostando da sua atitude. Quem você pensa que é? Não tente nos dizer o que fazer porque somos tão importantes quanto você". Eles não compreenderam o principal, que fora Deus que colocara Moisés naquela função, e a função deles era submeter-se à escolha de Deus. A bênção deles estaria na sua submissão, mas eles ouviram os seus sentimentos em vez de ouvirem a sabedoria.

Quando Moisés ouviu o que eles disseram, começou a orar por eles, sabendo o quanto as palavras rebeldes deles eram perigosas. Para

Capítulo 10

encurtar uma longa história, Deus abriu uma cratera na terra e ela engoliu Corá e seus homens e tudo o que tinham... fim da história!

Deus deu-lhes uma oportunidade de mudar de ideia e de entender o quanto eles eram abençoados por serem escolhidos como líderes, mas eles ainda não estavam satisfeitos porque queriam ter o que Moisés tinha e estavam decididos a consegui-lo. Mas no final, não apenas não conseguiram o que desejavam, como perderam tudo o que possuíam, inclusive suas vidas.

Balaão era um profeta ou vidente de acontecimentos futuros. Ele era um homem muito usado por Deus e alguém cujos conselhos eram procurados por muitos. O rei de Moabe queria que Balaão amaldiçoasse os inimigos do rei para que ele pudesse derrotá-los, mas Balaão recusou. Deus falou com Balaão e disse a ele para não amaldiçoar o povo porque Ele já o havia abençoado. Em princípio Balaão disse ao rei de Moabe que ele não podia realizar os desejos dele porque Deus já dera a Sua direção. O rei de Moabe ofereceu presentes e dinheiro, esperando persuadir Balaão a mudar de ideia (ver Números 22).

Por algum tempo, Balaão perseverou em fazer o que sabia que era certo. Mas finalmente a ganância conseguiu vencê-lo, e ele seguiu com o rei de Moabe, pretendendo tentar ir contra Deus. Deus enviou o Anjo do Senhor, que usou uma mula para imprensar o grande profeta contra a parede, esmagando seu pé, e para falar com ele. Que constrangedor deve ter sido para o homem supostamente grande e tão procurado ser corrigido por uma mula! Finalmente, os olhos de Balaão foram abertos, e viu o Anjo que lhe disse que ele fora deliberadamente obstinado opondo-se a Deus. Felizmente, Balaão viu o quanto estava sendo tolo antes de ser tarde demais e disse ao rei de Moabe que ele não tinha poder algum para dizer nada a não ser o que Deus lhe dissera para falar (ver Números 22:38).

Se persistirmos em seguir as nossas emoções desenfreadas, o resultado não será bom, mas nunca é tarde para voltar ao caminho certo. Caim e Corá não mudaram e foram destruídos, mas Balaão mudou antes de ser tarde demais.

Amo aprender porque isto me dá a opção de mudar o que está errado e fazer o que é certo. Por favor, não leia este livro como se fosse uma história interessante sobre outras pessoas. Aplique a mensagem dele à sua vida, e não deixe que a emoção o governe.

Mas Tenho a Sensação de Que É a Coisa Certa a Fazer!

Creio que existem níveis de sentimentos e precisamos ser capazes de discernir a diferença entre sentimentos superficiais e as coisas que sentimos no fundo do nosso coração. Há momentos em que sinto profundamente em meu espírito que Deus quer que eu faça ou não faça alguma coisa, e é importante seguir esses sentimentos, mas existem outros sentimentos mais superficiais que me causarão problemas se forem seguidos. Por exemplo, posso sentir vontade de comer *brownie* com sorvete todas as noites, seguido de uma tigela grande de pipoca salgada, mas isso definitivamente me trará problemas. Ganharei peso, e não me sentirei tão cheia de energia quanto deveria.

Como mencionei neste livro, somos espíritos que têm uma alma e um corpo. O nosso espírito é a parte mais profunda do nosso ser, e é a parte onde Deus habita depois que recebemos Jesus Cristo como nosso Salvador. O nosso espírito regenerado se torna o trono de Deus e Ele fala conosco, nos dirigindo e conduzindo a partir dali. Há outros sentimentos que temos que são meramente emoção e eles habitam na alma, uma parte mais rasa do nosso ser. Enquanto seguirmos esses sentimentos, nunca teremos o que realmente queremos da vida e, na verdade, nos envolveremos em muitas situações caóticas que trarão problemas para nós e para os outros.

Um bom exemplo de uma pessoa seguindo um sentimento superficial encontra-se em Gênesis 27. Na sua velhice, Isaque perdeu a visão. Ele sabia que ia morrer logo, e era hora de dar a bênção da primogenitura ao seu filho mais velho, Esaú. Ele tinha dois filhos, Esaú e Jacó, e sua mulher, Rebeca, favorecia Jacó. Ela queria que ele

Capítulo 10

tivesse a bênção em lugar de Esaú. Como Isaque não podia ver bem, Rebeca arquitetou um plano para enganá-lo fazendo-o acreditar que Jacó era Esaú.

Esaú era um homem peludo, e Jacó tinha a pele lisa. Rebeca colocou uma pele de animal sobre o braço de Jacó e disse a ele para ir até seu pai e fingir ser seu irmão. Quando a refeição especial exigida para a cerimônia da bênção foi preparada e era hora de dar a bênção, Isaque *sentiu* em seu coração que Jacó não poderia ser Esaú, mas ele *apalpou* o braço dele e decidiu que devia ser Esaú porque era peludo. Este único exemplo de uma pessoa que seguiu os sentimentos errados gerou problemas que perduraram por muitos anos.

Essa atitude causou problemas entre os irmãos; gerou insegurança, fuga, medo de ser apanhado, culpa por causa do engano e muitas outras emoções negativas, todas elas enraizadas em um ato de seguir um sentimento superficial em vez de seguir um sentimento mais profundo do coração.

Imagine todos os resultados negativos que um homem casado vive quando tem um caso extraconjugal por causa dos sentimentos que ele teve para com outra mulher. Ou pense nos anos que tantas pessoas passam na prisão por terem seguido sentimentos de raiva ou fúria assassinando alguém, embora sabendo lá no fundo que aquilo era errado.

Há momentos em que uma coisa pode nos dar a sensação de que é certa, mas é sábio verificar de onde vem esse sentimento. Será que é apenas um sentimento emocional ou é algo que você realmente sente no coração que é certo?

Tenho a Sensação de Que É a Vontade de Deus

Como podemos conhecer a vontade de Deus? Este talvez seja um dos problemas mais importantes para os cristãos que querem obedecer a Deus. Com certeza Isaque não desobedeceu a Deus deliberadamente, mas porque seguiu os seus sentimentos sem testá-los, ele o fez.

Afinal, Posso Controlar *Alguma* Coisa?

"Eu simplesmente senti que era isto que Deus queria que eu fizesse" pode ser uma desculpa esfarrapada para a obstinação, mas o cristão sincero testará a impressão que recebeu para examinar a sua autenticidade.

A epístola de 1 Tessalonicenses 5:21 afirma que devemos provar todas as coisas e nos apegarmos ao que é bom. Satanás muitas vezes aparece como um anjo de luz. Ele até nos sussurra passagens para confirmar algo que queremos fazer, caso essa atitude nos cause problemas. Podemos fazer a Bíblia dizer praticamente qualquer coisa extraindo trechos e versículos isolados dela, mas se examinarmos a Bíblia como um todo, ela protegerá o nosso caminho.

Martin gostava de carros. Na verdade, ele era obcecado por ter um carro novo todo ano. Ele gostava da experiência de todo o processo de sair procurando o carro, fazer o *test-drive*, barganhar com o vendedor, sair com o carro do estacionamento, lavá-lo e poli-lo na entrada da sua garagem, e ver os vizinhos admirá-lo. Quando Martin saiu para comprar seu carro novo do ano, sua esposa se opôs. Ela achava que eles precisavam sair das dívidas em vez de fazer novas dívidas. Martin disse a ela que oraria a respeito e não o faria a não ser que sentisse que Deus aprovava a compra. Martin era sincero quanto a ouvir a Deus, mas também tinha um desejo muito forte de comprar o carro. Enquanto orava e esperava em Deus, ele abriu a Bíblia e seus olhos pousaram no Salmo 67:6, que diz: "Que a terra dê a sua colheita, e Deus, o nosso Deus, nos abençoe!"

Martin decidiu que comprar o carro que ele queria era a sua colheita por ter trabalhado duro durante o último ano e que aquela era a maneira de Deus abençoá-lo. É uma boa passagem e, certamente, Martin poderia tê-la recebido como uma forma de aprovação para comprar o carro, exceto pelo fato de que a Palavra de Deus também ensina que devemos nos livrar de dívidas e que aquele que pede emprestado é escravo do que empresta.

A Palavra de Deus nos adverte contra a ganância e contra usarmos de forma exagerada as coisas deste mundo. A decisão de Martin

Capítulo 10

ia causar conflitos entre ele e sua esposa, e o carro que já tinha era perfeitamente maravilhoso. O pagamento pelo carro novo seria de 150 dólares ao mês acima do pagamento atual, e geraria uma necessidade de ajustes financeiros que Martin decidiu que poderia vir do dinheiro previsto para comprar roupas para a família. Em outras palavras, ele estava sendo egoísta, o que a Bíblia nos ensina claramente que é errado.

Neste exemplo, Martin usou a passagem bíblica para conseguir aquilo que queria sem olhar com sinceridade para a totalidade do conselho contido na Palavra de Deus.

No livro de James Dobson, *Emotions: Can You Trust Them?* (Emoções: Podemos Confiar Nelas?) o autor se inspira na sabedoria de Martin Wells Knapp, que no seu livro de 1982, *Impressions* (Impressões) sugeriu quatro perguntas simples que poderiam ser usadas para testar os nossos impulsos e impressões. Parafraseei as perguntas de Knapp e apliquei-as ao desejo de Martin por um carro novo. Veja-as nos parágrafos seguintes:

1. O que você quer fazer é bíblico? Está em harmonia com todo o conteúdo da Bíblia?
2. É certo quando examinado à luz da moralidade e da decência? Certamente a compra de um automóvel não é moralmente errada ou indecente, mas o comportamento egoísta de Martin não estava certo.
3. A providência de Deus está abrindo a porta para aquilo que queremos, ou estamos botando a porta abaixo? Se Deus de repente tivesse dado um valor adicional de 150 dólares ao mês em rendimentos, ou se o vendedor do carro tivesse se oferecido para ficar com o carro atual de Martin como troca e lhe garantisse que o pagamento não seria superior ao atual, ele poderia ter concluído corretamente que Deus estava abrindo a porta para ele comprar o carro. Da maneira que aconteceu, porém, Martin não teve nenhum destes sinais providenciais.

4. É razoável? Foi um ato de bom senso Martin sentir que precisava ter um carro novo todos os anos, embora sua família tivesse de se sacrificar para isso? A decisão dele iria edificar um bom relacionamento com sua família e ensinar aos seus filhos a administrar suas finanças adequadamente enquanto cresciam e se tornavam adultos? A decisão dele foi compatível com o caráter de Deus?

Podemos ver facilmente que se Martin tivesse submetido seu desejo a um exame bíblico, ele saberia que comprar o carro novo naquele momento não era certo. Como seres humanos, infelizmente, caímos nesse buraco de fazer o que queremos e depois dizemos que sentimos que era Deus nos impulsionando a agir. Deus realmente fala com o Seu povo e promete nos guiar e dirigir, mas é perigoso seguir cegamente todas as impressões que recebemos.

Isto me Deixa Empolgado!

A empolgação é um bom sentimento; todos nós gostamos. Às vezes, precisamos do combustível da empolgação para nos ajudar a desfrutar alguma coisa, mas outras vezes, se tomarmos decisões sérias com base na empolgação apenas, isso poderá nos causar problemas.

Podemos nos referir à empolgação como um impulso que é um ímpeto repentino de se fazer alguma coisa. A Bíblia nos diz que ceder a um impulso é sinal de imaturidade espiritual e não agrada a Deus (ver Romanos 8:8; 1 Coríntios 3:1-3). Se dedicarmos tempo para examinarmos alguns dos nossos sentimentos, descobriremos que eles são muito irracionais.

Por exemplo, as pessoas costumam comprometer-se com coisas que, na verdade, são impossíveis de realizar. Elas se comprometem por empolgação ou devido a um impulso, sem dedicar tempo para considerar se poderão terminar o que começaram. Se formos sin-

Capítulo 10

ceros, teremos de admitir que nós mesmos criamos grande parte do caos em nossas vidas. Podemos colocar a culpa em outras coisas e em outras pessoas, mas na verdade muito disto é culpa nossa.

Você já agiu impulsivamente e lamentou muito depois, mas não teve como desfazer o que havia feito? Sei que isto aconteceu comigo, e não creio que haja um sentimento pior no mundo para mim. Sei os problemas que podem ser causados quando seguimos impulsos repentinos sem examiná-los com sabedoria.

Os sentimentos são muito instáveis. Eles estão sempre mudando; vêm e vão como as ondas no oceano. Eles estão em cima, depois embaixo, e parecem controlados por alguma força invisível que não entendemos. "Por que eu me sinto como me sinto?" é uma pergunta feita com frequência, mas a nossa confusão, muitas vezes, é semelhante a que poderia sentir alguém que não tem conhecimento científico ao tentar entender por que algumas vezes o oceano está manso e parado e, outras vezes, bate violentamente. Ele apenas está, e nós aceitamos isso.

> *Não entre simplesmente no barco sem ninguém no leme e fique esperando apenas que as ondas da vida o levem para um bom lugar.*

Se formos sábios, não iremos velejar no oceano quando ele estiver bravio com ondas que parecem perigosas, nem devemos dar vazão às nossas emoções quando elas estão mudando violentamente, primeiro para cima e depois para baixo, aqui e ali, indo e vindo. O melhor a fazer é esperar que elas se acalmem antes de tomar qualquer atitude. Assuma o leme e seja o capitão do seu navio. Não entre simplesmente no barco sem ninguém no leme e fique esperando apenas que as ondas da vida o levem para um bom lugar.

Decisão e confissão: *Vou controlar a minha maneira de reagir a todas as situações.*

PARTE II

Nos capítulos seguintes, tratarei das emoções que nos causam problemas específicos, tais como a ira, a culpa, a amargura e o ressentimento, a depressão e o desânimo. Ao ler, é muito importante que entenda — e creia — que *você pode controlar* essas emoções desagradáveis. Se não fizer isso, essas emoções perturbadoras acabarão controlando você e a sua vida. O motivo pelo qual você pode controlá-las é porque Deus lhe deu o que precisa para fazer isto. Não podemos fazer nada sem a ajuda de Deus, mas tudo de que precisamos está sempre disponível para qualquer pessoa que se humilhe e peça a Ele.

Capítulo 11

Ira

As três emoções negativas mais prejudiciais são a ira, a culpa e o medo. E a ira é a número 1. Ela também é a mais forte e a mais perigosa de todas as paixões. Quando um crime é descrito como passional, isso significa que ele foi alimentado pela ira. A ira é uma emoção tão perigosa que pessoas acabam na prisão por causa do que ela as faz cometer! Embora precisemos levar tudo o que a Bíblia ensina muito a sério, está claro que é importante prestar atenção especial ao que Deus nos diz sobre a ira e a respeito de como lidar com ela.

A ira se manifesta de formas diferentes. Um tipo de ira caracteriza-se quando a pessoa se enfurece rapidamente e depois se acalma com a mesma rapidez. Outro tipo é aquele que tende a se estabelecer e criar raízes; como um vírus de baixa intensidade, ele permanece na mente e espera pela oportunidade perfeita de se vingar. Outro tipo de ira faz que tomemos uma atitude rápida. A ira pode se manifestar quando gritamos, batemos, prejudicamos ou causamos danos de outros tipos ao foco da nossa ira. A ira critica, separa, ridiculariza, humilha, despreza, implica e diminui; ela desrespeita, rebela-se e pode até torcer a situação e assumir o papel de vítima.

Algumas pessoas enterram a ira que sentem, mas, como um vulcão, ela pode ficar sob a superfície apenas por algum tempo. De uma forma ou de outra, ela emergirá. Outras pessoas ficam irritadas diante da menor inconveniência, enquanto outras ainda parecem ficar calmas independentemente do que aconteça. Essas diferenças devem-se em parte ao temperamento com o qual cada um de nós nasce e em parte às circunstâncias com que nos deparamos nos primeiros anos de nossas vidas, enquanto a nossa personalidade estava sendo formada.

> *Reclamar das nossas diferenças não as muda. Você precisa saber lidar com o que tem em mãos.*

Embora não possamos usar os "tipos de personalidades" como desculpa para o nosso mau temperamento, é sábio entender que pessoas diferentes lidam com o conflito de maneiras diferentes. Dave raramente se irrita (exceto quando está dirigindo). Se ele encontra uma garçonete realmente mal-humorada, em vez de ficar zangado porque ela é rude com ele, ele brinca com ela e faz com que ela fique de bom humor. Mas se alguém é rude comigo, é mais provável que eu sinta a ira subir e que seja tentada a dizer a essa pessoa o que penso sobre o seu comportamento. Foi exatamente isso que fiz durante anos, até que aprendi como controlar minhas emoções. Nem sempre tenho êxito, mas pelo menos tenho mais acertos que erros, e a boa notícia é que ainda estou crescendo.

Muitas vezes, achei injusto ter de trabalhar tanto para me controlar, enquanto o controle de Dave parece vir naturalmente. Mas todos nós temos pontos fortes e fracos em áreas diferentes. Reclamar das nossas diferenças não as muda. Você precisa saber lidar com o que tem em mãos. Pegue o que você tem e faça o melhor possível com ele.

Ira É Pecado?

Muitos cristãos ficam confusos com a ira. Eles acham que como pessoas de Deus, nunca deveriam irar-se. Perguntam-se por que continuam tendo de lidar com a ira quando ela é algo que não querem sentir. A ira pode ser uma reação involuntária, quer queiramos senti-la ou não. Uma pessoa com as emoções feridas por traumas ou abusos do passado pode reagir e, provavelmente, reagirá de modo autoprotetor e demonstrará ira com mais facilidade que alguém que nunca foi maltratado. Felizmente, por meio da ajuda de Deus, essas emoções feridas podem ser curadas, e podemos aprender a ter reações mais equilibradas e razoáveis às pessoas, aos acontecimentos e às situações.

Nem toda ira é pecado, mas alguns tipos de ira sim. A Bíblia fala de uma ira justa que até o próprio Deus possui. É a ira contra o pecado, a injustiça, a rebelião, a mesquinharia, e outras ocorrências do tipo.

A Palavra de Deus diz: "Irai-vos, e não pequeis..." (Efésios 4:26, AA); e Provérbios 16:32 diz: "Melhor é o homem paciente do que o guerreiro, mais vale controlar o seu espírito do que conquistar uma cidade." Lembro-me de uma manhã quando estava me preparando para ir pregar, e Dave e eu começamos a discutir. Eu estava estudando e ele disse algo que me enfureceu rapidamente. Trocamos algumas palavras ásperas e depois ele saiu para o trabalho.

Continuei a ter pensamentos de ira e sentimentos de ira. Então minha raiva se transformou em culpa e comecei a pensar: *Como posso ir à igreja e dizer aos outros como conduzirem suas vidas de acordo com as Escrituras se eu não consigo controlar a minha ira?* Os sentimentos de culpa não apenas continuaram, mas se intensificaram. À medida que a pressão subia, comecei a me sentir quase frenética quando de repente ouvi Deus sussurrar em meu coração: *A ira não é pecado; é o que você faz com ela que se torna um pecado.* Essa foi uma das primeiras lições que Deus me deu para que eu entendesse que não podemos esperar que as emoções simplesmente desapareçam porque nos tornamos cristãos, mas que, em vez disso, devemos aprender a controlá-las.

Efésios prossegue, dizendo: "...Apaziguem a sua ira antes que o sol se ponha" (Efésios 4:26). Quando nos agarramos à ira, ela dá ao diabo um ponto de apoio em nossas vidas (ver o versículo 27). Essa

Capítulo 11

passagem transformou a minha vida, ajudando-me a aprender mais sobre as emoções e acerca de o que fazer com elas.

Ira Pecaminosa

Qual é a diferença entre as emoções aparentemente inocentes que são simplesmente parte da vida, e as emoções pecaminosas? A ira inaceitável e pecaminosa é o que nos motiva a ferir o nosso próximo. Quando queremos atacar verbalmente como uma forma de vingança e ferir outros, estamos definitivamente fora da vontade de Deus. Nem mesmo a injustiça dos outros nos dá o direito de lhes infligir dor. Deus diz claramente que a vingança pertence a Ele, e que a nossa posição deve ser a de termos fé nele, esperando paciente e amorosamente enquanto Ele opera a justiça em nossas vidas. Quando Jesus estava prestes a ser preso antes da Sua crucificação, Pedro tirou sua espada e cortou a orelha de um soldado. Jesus repreendeu-o, e curou a orelha do homem. Pedro parecia estar justificado nos seus atos, mas Jesus condenou o seu comportamento.

Pedro era dado a rompantes de raiva e era muito emocional, por isso a ira era a sua reação natural àquilo que ele não gostava ou não achava que estava certo. Até mesmo um breve estudo sobre a vida de Pedro revela a sua natureza emocional, mas Deus permitiu que ele visse as próprias imperfeições e os problemas que elas causavam e Pedro finalmente foi transformado.

Moisés perdeu um privilégio que ele esperara durante anos devido à ira descontrolada. Em Números 20:1-12, vemos que ele reagiu emocionalmente com ira por causa de sua irritação com os israelitas, e Deus lhe disse que não lhe seria permitido levá-los até a Terra Prometida.

Posso entender a ira de Moisés, porque conduzir os israelitas pelo deserto e ouvir reclamações incessantes também teria me deixado irada. Mas a quem muito é dado, muito é pedido. Moisés

Ira

recebeu um privilégio acima dos outros homens, e era de se esperar que ele controlasse as suas emoções.

Controlar o domínio da ira, principalmente quando você tem uma natureza agressiva e extrovertida, pode ser uma das coisas mais desafiadoras que terá de enfrentar na vida, mas controlá-la com certeza é possível com a ajuda de Deus. Lembre-se de que é dito que um homem que controla a sua ira é forte o bastante para conquistar uma cidade inteira (ver Provérbios 16:32).

Então, vai tomar a decisão de não permitir que a ira controle você e os seus atos?

Ódio

Nada justifica uma atitude de ódio. Admito que odiei meu pai com todas as minhas forças durante muitos e muitos anos. Aquele ódio não transformou meu pai nem o fez pagar pelos seus erros, mas ele realmente me envenenou. Ele tirou a minha paz e a minha alegria, e o meu pecado de ódio me separou da presença íntima de Deus.

A epístola de 1 João 4:20 diz: "... Quem não ama seu irmão, a quem vê, não pode amar a Deus, a quem não vê." Não podemos manter o amor a Deus e o ódio pelo homem em nosso coração ao mesmo tempo. Quando Deus nos diz para perdoarmos aos nossos inimigos, é para o nosso bem.

Podemos ter sido tratados cruelmente e ter todas as razões para odiar alguém, mas não temos o direito de fazer isso. Ninguém foi tratado mais injustamente que Jesus e, no entanto, Ele pediu a Deus para perdoar aos Seus atormentadores, dizendo que eles não sabiam o que estavam fazendo (ver Lucas 23:34). A Bíblia diz que eles odiaram Jesus sem motivo (ver João 15:25). Isto sempre me pareceu muito triste. Ele veio somente com um propósito, que foi o de ajudar e abençoar a humanidade, e eles o odiaram porque Ele era bom e eles maus.

Capítulo 11

João nos diz que o ódio em nosso coração equivale ao assassinato (ver 1 João 3:15).

Ira Justa

A Bíblia fala da ira justa, que é a ira contra todo pecado e contra tudo que ofende a Deus. O abuso e a injustiça de todo tipo me deixam furiosa. Fico furiosa com o diabo quando vejo crianças morrendo de fome na Índia, na Ásia, na África e em outros lugares que visito para fazer missões.

Até Deus tem uma ira justa! Deus ficou irado quando viu a dureza do coração do Seu povo (ver Marcos 3:5). Felizmente, a ira de Deus dura apenas um instante, mas o Seu favor dura por toda a vida (ver Salmos 30:5). Embora Deus seja tardio em irar-se, estou certa de que há muitas injustiças neste mundo que o deixam irado. Certamente, fico feliz por Ele saber controlar as Suas emoções, e você?

Embora a ira justa não seja pecado, o que fazemos com ela pode se tornar um pecado. Sinto muita raiva do diabo, mas descobri que a única maneira de retribuir a ele pelo mal que ele faz é fazendo o bem. Deus é a única coisa que Satanás, a personificação do mal, não consegue suportar. Eu sempre digo: "Se quer fazer o diabo ter um ataque de nervos, levante-se todos os dias e veja tudo de bom que você pode fazer."

A ira descontrolada, e até a ira justa, podem transformar-se rapidamente em fúria, e isto é perigoso. Por exemplo, as pessoas que estão iradas com as leis do aborto, ou com o fato de a oração ter sido proibida nas escolas, ou com a perda dos direitos dos cristãos que prevalece atualmente sentem uma ira justa, mas até isso pode ser demonstrado de maneira inadequada. Todos nós estamos cientes de cristãos que fizeram um grande mal a outros por causa da ira descontrolada devido a uma injustiça. Mas lembre-se, devemos falar a verdade em amor e não com ira. Isto não significa que não podemos ser enfáticos quando falamos contra a injustiça, mas qualquer falta de controle abrirá a porta para o diabo — e isto é especialmente verdade no que se refere à ira. Precisamos nos lembrar — e obedecer — ao que a Bíblia diz: "Apaziguem a sua ira antes que o sol se ponha!" (ver Efésios 4:26).

Ira Reprimida

A ira expressada inadequadamente é um problema, mas a ira reprimida também é. A ira que fica sufocada no interior e não é tratada adequadamente finalmente sairá de uma forma ou de outra. Ela pode aparecer em forma de depressão, ansiedade, raiva, ou uma série de emoções negativas — mas ela *sairá*. Ela pode até manifestar-se em doenças e enfermidades. Se não tratarmos a nossa ira rapidamente, finalmente vamos explodir ou implodir.

A maneira correta de expressar a ira é falar com Deus. Diga a Ele como você se sente, e peça-lhe para ajudá-lo a administrar esses sentimentos apropriadamente.

Se não tratarmos a nossa ira rapidamente, finalmente vamos explodir ou implodir.

Não temos porque não pedimos! (ver Tiago 4:2). Fale com um profissional ou um amigo experiente, se necessário, mas não finja que você não está irado, quando está. Isto é não administrar suas emoções, é ignorá-las, e é prejudicial.

Um procedimento que me ajuda a lidar adequadamente com a ira é entender que, às vezes, Deus permite que as pessoas me irritem para ajudar-me a crescer em paciência e em amor incondicional. Ora nenhum dos frutos do Espírito se desenvolve sem uma situação que nos faça exercitá-los. Ah! Gostaria de ter esses frutos maravilhosos operando magicamente em plena força em minha vida sem nenhum esforço da minha parte, mas não é assim que funciona. O mau comportamento do ofensor não é certo, mas Deus costuma

Capítulo 11

usá-lo como uma lixa em nossas vidas, para polir as nossas extremidades ásperas. Ele está mais preocupado em mudar o nosso caráter do que em mudar as nossas circunstâncias para deixá-las confortáveis para nós. Deus promete livrar-nos se confiarmos nele, mas o tempo certo para isso está nas mãos dele.

Se eu fico irada quando alguém faz o que é errado comigo, a minha ira é menos errada que o erro cometido por essa pessoa? Creio que não. Às vezes, o erro dela apenas expõe a minha fraqueza, e posso me arrepender e pedir a Deus que me ajude a vencê-la. Decida-se a tirar algo de bom de cada provação que enfrentar na vida, e nunca deixe que o sol se ponha sobre a sua ira.

Este é um bom momento para perguntar a si mesmo se está irado com alguma coisa ou com alguém, e se a sua resposta for sim, você pode começar a controlar essa emoção agora mesmo.

Algumas das pessoas explosivas que encontramos na vida são na verdade pessoas que estão cheias de ira pelo que enterraram e que se recusaram a tratar. Talvez até não entendam por que se sentem tão iradas o tempo todo. Elas são como bombas-relógio esperando que alguém ou algo as faça detonar. Explodem à menor provocação e, muitas vezes, a raiva delas parece extrema para a situação com a qual estão lidando.

A mãe de Melody era mentalmente enferma, e costumava trancar a filha no armário como castigo. Alguns dias, ela passava mais tempo no armário escuro do que na casa. Esse abuso deixou Melody muito irada, mas sem saber como lidar com a raiva, ela simplesmente saiu de casa quando teve idade suficiente para isso e tentou esquecer tudo. Isto parece bom; afinal, somos instruídos na Palavra de Deus a nos esquecermos do que ficou para trás. Entretanto, isto não significa evitar tratar do problema. Melody casou-se aos 19 anos porque estava desesperada para ser amada e ela e seu marido tiveram três filhos nos cinco primeiros anos do seu relacionamento bastante atribulado.

Melody era mal-humorada. Ela ficava deprimida ou irada na maior parte do tempo, e parecia que todos tinham de pisar em ovos, por assim dizer, para não desagradá-la. A atmosfera dentro de casa

Ira

era muito tensa. Melody costumava reagir exageradamente a qualquer situação de pouca importância. Uma noite, durante o jantar, sua filha Katie, que tinha 3 anos de idade, acidentalmente derramou um copo de leite na mesa. Melody se levantou e atirou sua cadeira do outro lado da sala enquanto esbravejava sem parar dizendo como ninguém naquela casa parecia capaz de fazer nada direito. A refeição foi arruinada para todos. Seu marido, James, saiu de casa para evitar começar uma discussão com ela e piorar as coisas ainda mais, e as crianças ficaram sentadas à mesa com um olhar de medo no rosto, chorando e se perguntando o que a mamãe faria em seguida.

Melody lamentava muito depois de suas explosões, e tentava compensar o seu mau comportamento fazendo alguma coisa de bom para os filhos, mas a culpa que ela sentia por não conseguir controlar-se era quase sufocante. Ela não sabia o que fazer, então, não fazia nada. Finalmente, sua depressão se tornou tão forte que a aconselharam a procurar um psiquiatra. Felizmente, o psiquiatra que a atendeu era cristão, além de um grande conselheiro; ele pôde ajudar Melody a ver que no fundo do seu ser ela ainda estava muito irada com a maneira que sua mãe a tratara, e isso causava todos os seus problemas emocionais. Ele a ajudou a encarar a verdade, a perdoar sua mãe, e a aprender a controlar suas emoções.

A história de Melody terminou bem, mas existem centenas de milhares de pessoas no mundo como Melody que são bombas-relógio emocionais apenas aguardando para explodir. Infelizmente, elas podem passar a vida toda abatidas e arruinar relacionamentos porque nunca tratam a raiz do problema.

Embora existam situações muito graves como a de Melody, que exigem muito tempo para serem curadas, também há coisas com as quais lidamos diariamente. Cada dia podemos ter oportunidade de ser ofendidos ou de não aceitar a ofensa. Alguns psicólogos ensinam que precisamos expressar toda a nossa raiva, mas de acordo com a Palavra de Deus, há muitas coisas que precisamos simplesmente deixar para trás.

Capítulo 11

Uma professora escreveu o seguinte no quadro-negro da sala de aula: "O ódio é a ira acumulada; portanto, ficar furioso é um ato de amor. Assim, você evita guardar a raiva e deixar que ela vire ódio." Isto é algo ridículo para se ensinar às crianças. Seria muito melhor ensiná-las a perdoar. Com certeza, o tipo de ofensa com a qual as crianças lidavam diariamente não era tão sério a ponto de justificar uma "liberação da raiva".

Alguns psicólogos dizem às pessoas para quando elas estiverem iradas baterem em uma mesa ou golpearem alguma coisa até sentirem que já liberaram a raiva. Não vejo nenhuma sugestão como essas na Bíblia, e acho que se eu batesse em uma mesa quando estivesse irada tudo que eu teria seria a mão machucada. Se é este tipo de coisas que estamos aprendendo e ensinando aos nossos filhos, não é de admirar que a nossa sociedade esteja tão perigosa hoje em dia. Realmente é triste quando temos de dar aulas especiais para ensinar as pessoas a lidarem com a violência no trânsito! Ou quando tememos que alguém possa atirar em nós por estar furioso por causa do que aconteceu em sua vida.

Se a Palavra de Deus nos diz para não deixarmos o sol se pôr sobre a nossa ira, então com certeza Deus espera que simplesmente deixemos algumas coisas para trás. À medida que passamos pela vida, precisamos ser generosos em misericórdia a fim de não ficarmos irados na maior parte do tempo. Na *Amplified Bible*, aprendemos que perdoar significa "esquecer (deixar para trás, deixar para lá)" (Marcos 11:25). Este plano me parece muito bom. Precisamos aprender a escolher as nossas batalhas na vida com sabedoria porque elas são muitas para lutarmos todas elas. Às vezes, Deus ainda diz, como falou aos israelitas: "...A batalha não é de vocês, mas de Deus" (2 Crônicas 20:15).

Como você pode saber quando expressar a raiva e quando deixar para lá? Só posso lhe dizer o que funciona para mim. A minha primeira linha de defesa é entregar tudo a Deus — simplesmente deixar tudo para trás e confiar nele para fazer o que é certo. Se o

Ira

problema continuar a me incomodar por mais de alguns dias, falo com Dave ou talvez com um de meus filhos na esperança de que simplesmente trazer o assunto à tona me traga algum alívio. Não falo com eles com espírito de fofoca ou crítica, mas faço isso para obter a ajuda que necessito. Às vezes, outra pessoa pode me dar uma perspectiva diferente da situação, que não estou vendo. Se nada disso funcionar, então começo a buscar a Deus para saber se Ele quer ou não que eu confronte a pessoa que me deixou irada. Se eu sentir que Ele quer isso, então é o que faço.

Às vezes, é melhor para a outra pessoa ser confrontada, mas quero sempre me certificar de que estou fazendo isso para o bem dela e que não é a minha vontade carnal que quer censurá-la ou tentar transformá-la. Em vez disso, expresso a ira da maneira adequada ou entrego o assunto a Deus. Não estou reprimindo a raiva. Deixei-a para trás e ela não está me contaminando, causando infecções e ferindo minha alma.

Quando alguém me trata mal, inicialmente sinto-me irada, depois passo os minutos ou horas seguintes, dependendo da gravidade do ato, tentando colocar minhas emoções sob controle. Falo comigo mesma e digo a mim mesma como é tolo permitir que uma pessoa grosseira estrague o meu dia. Sigo a Bíblia e oro pela pessoa que me magoou. Tento crer no melhor com relação à pessoa que me ofendeu e procuro tirar a minha mente da ofensa colocando-a em algo mais agradável. Em um curto período descubro que minhas emoções se acalmam. Obedecer e meditar na Palavra de Deus é remédio para as nossas almas. Ela não traz apenas instrução, como também consolo em todas as situações.

Como pode perceber, existem diversas maneiras de lidarmos com a ira, mas lembre-se de que não podemos expressá-la de uma maneira pouco amorosa, não podemos reprimi-la e não podemos ignorá-la. A ira é uma emoção real, e temos de lidar com ela de uma forma ou de outra.

Capítulo 11

Percepção ou Realidade?

Você já ouviu a afirmação "Percepção é realidade"? Se percebermos que estamos em perigo, então, seja ou não realmente verdade, nós nos comportaremos como se fosse verdade. E o nosso comportamento molda a qualidade de nossas vidas. Todos ouvimos falar de pessoas que viviam como miseráveis, vivendo seus últimos anos sem comida, roupas e abrigo decente porque estavam preocupadas com suas finanças. Depois, após a morte delas, descobriu-se que na verdade eram ricas, às vezes, possuindo milhões de dólares em contas de investimentos!

Viviam com medo e desespero quando podiam ter vivido no luxo. Acreditavam que eram pobres e viviam de acordo com o que acreditavam.

A maneira que percebemos as coisas é como as vemos. Na minha infância, sofri abuso, o que me fez sentir a necessidade de me defender dos ataques emocionais e físicos. Por causa desse condicionamento, esses sentimentos e reações permaneceram durante muitos anos de minha vida adulta. Eu costumava perceber que estava sendo atacada e precisava me defender. Porém, minha vida mudou! Casei-me com Dave, que é meu maior apoiador e animador. Imagine a minha surpresa quando ele me perguntou certa manhã por que eu agia como se ele fosse meu inimigo!

Levei muito tempo para deixar que o Espírito Santo trabalhasse em mim e me ensinasse a julgar as coisas através dos olhos de Deus, e não por meio dos olhos de um mundo abusivo. Naquela manhã específica, Dave expressara seu desagrado comigo por algum motivo, e encarei aquilo como rejeição. Minha ira incendiou-se e as palavras começaram a voar. Naqueles dias, eu ainda agia movida pela vergonha, e me sentia tão mal comigo mesma que se alguém discordasse ou tentasse me corrigir acerca de qualquer coisa, eu sempre ficava irritada.

Durante muitos anos sentia-me confusa sobre a minha ira porque eu não entendia a raiz do problema. Quando percebia, já estava irada e brigando quando inicialmente eu pretendia ter uma discussão muito

Ira

simples a respeito de algum assunto. Satanás tinha uma base de apoio em minha vida, e eu precisava ter uma revelação de Deus para poder ver claramente. Ele me ensinou que eu tinha uma raiz de rejeição em minha vida que se manifestava na raiva, e que quando as pessoas discordavam da minha opinião, eu levava as coisas para o lado pessoal como se elas estivessem me rejeitando. Eu ainda não sabia como separar o meu "ser" do meu "fazer". Se as pessoas não concordassem com tudo que eu dissesse ou fizesse, eu achava que elas estavam me rejeitando.

Preparava-me para ensinar a Palavra de Deus naquela manhã, e Satanás viu uma oportunidade para criar uma perturbação, tirando vantagem da minha fraqueza. Ele conseguiu começar uma discussão entre Dave e eu, sabendo que aquilo ia fazer sentir-me culpada e condenada e que isso me impediria de ensinar a Palavra de Deus com confiança. Mas Deus veio em meu socorro! Ele me mostrou que a raiva que eu sentia só precisava ser controlada. Arrependi-me pela discussão, telefonei para Dave e pedi desculpas, e fui para a minha reunião em paz.

Ao longo dos anos, à medida que Deus me curava da dor do meu passado, comecei a sentir gradualmente cada vez menos raiva. Mas enquanto estava me curando, Deus me ensinou que a minha ira não era pecado se eu a controlasse. Minhas emoções estavam feridas, e eu costumava reagir como um animal ferido. Hoje, raramente sinto raiva a não ser que a ameaça ou o ataque contra mim seja genuíno.

> *Quando estiver zangado, conte até dez antes de falar; se estiver muito zangado, conte até cem.*
> HORÁCIO

Deus nos deu a emoção da ira para sabermos quando estamos sendo maltratados; se mantida sob controle, ela é uma boa emoção.

Quando estiver zangado, conte até dez antes de falar; se estiver muito zangado, conte até cem.

Horácio

Capítulo 11

Vai Ser Sempre Tão Difícil Controlar Minhas Emoções?

Talvez você esteja pensando: *Tenho tantas emoções fortes; como vou controlar todas elas?* Descobri que Deus geralmente trata comigo uma área de cada vez. Lendo este livro, você está adquirindo uma compreensão geral das emoções, e espero que, também, compreendendo a razão pela qual você, às vezes, se sente da maneira como se sente. Você está aprendendo que precisa antes de tudo depender de Deus, e depois tomar uma atitude e ser agressivo na sua determinação de não ser escravo dos seus sentimentos. Costumo lembrar às pessoas que nada muda só porque você leu um livro. É o que faz com o conhecimento que adquiriu com a leitura do livro que levará a uma mudança.

Entendo que a mudança nem sempre é fácil, e talvez haja vezes em que você pense, *Não sei se algum dia conseguirei consertar isto.* Mas eu lhe garanto que se não desistir, você continuará progredindo, e finalmente conseguirá treinar muitas das suas emoções e elas simplesmente não serão incontroláveis. Elas reagirão da mesma maneira que uma criança quando a treinamos adequadamente. Quanto mais nos recusamos a deixar que as nossas emoções negativas nos governem, tanto mais fracas elas se tornam, e finalmente só precisaremos fazer uma manutenção diária.

Não estou dizendo que você nunca sentirá raiva, mas a raiva que sentir será muito mais fácil de administrar do que foi no passado. Posso dizer sinceramente que há vinte anos eu era muito emocional e agora sou muito estável. Sei, por experiência própria, que os princípios que estou compartilhando com você funcionarão maravilhosamente em sua vida se aplicá-los diligentemente. Lembre-se sempre de que conquistar a vitória é mais difícil do que mantê-la, depois que você já a tem.

Decisão e confissão: *Não vou viver sendo uma pessoa irada. Vou lidar com a ira da maneira de Deus.*

Capítulo 12

Culpa

A culpa é o senso de responsabilidade com relação a alguma coisa negativa que sucedeu a outros ou a você mesmo. É o sentimento de lamentar algum ato realizado ou não. A culpa é um sentimento terrível de suportar. Não fomos feitos para sentir culpa, e ela fere nossas almas e nossas personalidades — e até a nossa saúde. A culpa tira a nossa paz e a nossa alegria. Ela pode tornar-se uma prisão da qual não temos a chave.

A culpa nos deixa com uma sensação de obrigação de repararmos de alguma forma o mal que fizemos ou que imaginamos que fizemos. O fardo da culpa aliado ao desejo de pagar pelos nossos crimes é realmente uma vida miserável. Conheço uma mulher que gastou centenas de milhares de dólares fazendo programas de tratamento e que não encontrou ajuda até receber Jesus como seu Salvador e crer que Ele pagou a dívida que ela devia quando Ele morreu na cruz. O evangelho de Jesus Cristo é realmente uma mensagem de boas-novas! Porque não podíamos pagar, Ele pagou, e agora não há condenação para aqueles que estão em Cristo (ver Romanos 8:1).

Não ignoramos os nossos pecados, ao contrário, os encaramos com ousadia; nós os confessamos (contando tudo) e recebemos o tremendo perdão de Deus.

Capítulo 12

> Então reconheci diante de ti o meu pecado e não encobri as minhas culpas. Eu disse: Confessarei as minhas transgressões ao Senhor, e tu perdoaste a culpa do meu pecado [Pausa].
> **Salmos 32:5**

Vamos fazer o que a Bíblia recomenda. Vamos fazer uma pausa e pensar calmamente no que o versículo está dizendo. Se reconhecermos (admitirmos) o nosso pecado para Deus e contarmos tudo, nos recusando a esconder o nosso pecado, Deus nos perdoará instantaneamente e removerá a culpa. Se o pecado se foi, não há nada para nos sentirmos culpados. O sentimento de culpa nem sempre desaparece instantaneamente, mas podemos dar crédito a Deus pela Sua palavra e dizer com Ele "Sou perdoado, e a culpa foi retirada". Descobri que meus sentimentos acompanharão a minha decisão, mas se permitir que meus sentimentos façam as minhas decisões, serei sempre escrava deles.

Conheço uma mulher que foi uma verdadeira guerreira do Senhor. Ela ensinava na Escola Dominical, visitava mulheres na prisão local nas sextas-feiras à noite, era voluntária para limpar o santuário da igreja aos sábados e entregava seu dízimo regularmente. Ela criou duas filhas que se tornaram cristãs comprometidas e levou centenas de pessoas ao Senhor durante sua vida. Quando morreu, homens maduros foram ao seu enterro e choraram. Eles contaram às filhas dela como sua mãe dera alimento e dinheiro às suas esposas quando eles desperdiçavam todo o seu salário.

Somente as filhas delas sabiam que sua mãe era uma das mulheres mais infelizes do mundo. Apesar de sua forte fé, ela cometera pecados em sua juventude que a assombraram ao longo de toda a vida. Embora Deus a tivesse perdoado, ela não conseguia perdoar-se.

Ela estava presa na condenação.

Creio que histórias como essa são as mais tristes do mundo. Estou certa de que a mulher dessa história falava aos outros sobre o amor e a misericórdia de Deus, mas ela nunca realmente os recebeu

Culpa

para si mesma. Talvez ela nunca tenha entendido que era muito mais do que aquilo que sentia. Ela se sentia culpada, e assim presumia que era culpada e deixava que isto tirasse a sua alegria. Esta história se repete em muitos milhões de

> *Podemos viver de acordo com a verdade da Palavra de Deus e não de acordo com o que sentimos.*

vidas e é um dos motivos pelos quais estou escrevendo este livro. *Podemos viver de acordo com a verdade da Palavra de Deus e não de acordo com o que sentimos.*

Condenação e Convicção

Precisamos aprender a diferença entre condenação (culpa) e a verdadeira convicção de Deus de que fizemos algo de errado. A condenação nos empurra para baixo e se manifesta como um fardo pesado exigindo que paguemos pelos nossos erros. A convicção é a obra do Espírito Santo, que está nos mostrando que pecamos e nos convidando a confessar os nossos pecados, a receber o perdão e a ajuda de Deus para melhorar o nosso comportamento no futuro. A condenação torna o problema pior; a convicção destina-se a nos erguer para fora dele. O resultado dos dois é inteiramente diferente um do outro.

Quando se sentir culpado, a primeira coisa a fazer é perguntar-se se é culpado de acordo com a Palavra de Deus. Talvez você seja. Nesse caso, confesse o seu pecado para Deus; abandone-o e não o repita. Se precisar pedir perdão à pessoa a quem fez mal, faça isso. Depois... perdoe a si mesmo e esqueça! Deus já o fez, e se você recusar-se a fazer isso, perderá a alegria da redenção que Deus quer que todos nós experimentemos.

Algumas vezes você poderá descobrir que não é culpado de acordo com a Palavra de Deus. Por exemplo, lembro-me de me

Capítulo 12

sentir culpada quando eu tentava descansar. Durante anos, impelia-me incessantemente a trabalhar sem parar porque me sentia bem quando estava realizando alguma coisa e culpada se estivesse me divertindo. Finalmente, cheguei a um ponto de crise e clamei a Deus perguntando por que eu não conseguia ter prazer em descansar, e Ele me mostrou que os sentimentos de culpa eram sobras do meu passado. Meu pai parecia me dar mais a sua aprovação quando eu estava trabalhando e não dava valor a qualquer tipo de diversão, então aprendi cedo na vida que o trabalho é aplaudido, mas o descanso tinha pouco ou nenhum valor.

Esse pensamento é totalmente errado de acordo com a Palavra de Deus. Até Ele descansou da Sua obra da criação e nos convidou a entrarmos no Seu descanso. A culpa que sentia quando tentava descansar era antibíblica, irracional, e completamente ridícula. Quando deixei de acreditar somente nos meus sentimentos e comecei realmente a examiná-los à luz da Palavra de Deus, descobri um enorme engano em minha vida.

O que o faz sentir-se culpado? O que a Palavra de Deus diz sobre a situação? Talvez você descubra que a sua culpa é falsa, ou ela pode ser real, mas de uma forma ou de outra, a Palavra de Deus tem a resposta para o seu dilema. Se for um falso sentimento de culpa, então o declare como tal, e esteja decidido a não permitir que os seus sentimentos o governem. Se a sua culpa estiver baseada em um pecado real, siga o padrão bíblico: arrependa-se, conte tudo a Deus, peça perdão, e receba o perdão pela fé. Agora creia e confesse que o seu pecado, e a culpa, foram tratados por Jesus. E siga em frente!

O Espírito Santo nos é dado por muitos motivos, e um dos realmente importantes é convencer-nos do pecado. Devemos amar e apreciar toda convicção porque sem ela poderíamos facilmente viver a vida enganando-nos. Uma pessoa espiritualmente madura pode receber convicção e não deixar que ela a condene. A correção de Deus nunca é rejeição. É um sinal do Seu amor o fato de Ele recusar-se a nos deixar como estamos, mas Ele opera diariamente para nos transformar à Sua imagem e para nos ajudar a desenvolver o Seu caráter.

Culpa Real e Imaginária

Quando uma pessoa é propensa à culpa, o diabo faz a festa. Se esse for o seu caso, garanto-lhe que ele definitivamente irá tirar vantagem de você trabalhando por meio de outros para se aproveitar da sua culpa. Eles poderão fazê-lo achar que eles sofrerão grandemente se não fizer o que pedem. A sua reação deve ser seguir a sua intuição de Deus e não assumir a responsabilidade pela alegria deles. Talvez você tenha pais idosos que o farão sentir-se culpado se não ceder a cada capricho deles. Temos realmente o dever bíblico para com nossos pais de garantir que sejam cuidados na velhice, mas não podemos ser responsáveis pela alegria deles. Muitas das coisas que as pessoas esperam são expectativas *delas*, e elas podem ser bastante irreais. Elas podem estar pensando apenas em si mesmas sem ter qualquer compreensão a seu respeito e acerca das suas demais responsabilidades.

O sentimento de culpa é tão terrível que geralmente estamos dispostos a fazer qualquer coisa para aliviá-lo. Se permitirmos que os outros façam que nos sintamos culpados, logo aprenderão a nos manipular, usando as nossas fraquezas para conseguirem o que querem. Você precisa entender que não é obrigado a fazer alguma coisa só porque alguém quer que faça ou acha que deve fazer. Isso não quer dizer que não queremos agradar as pessoas e fazer o que as beneficie, mas não podemos deixar que os desejos delas nos governem.

A culpa pode se originar de um pecado real ou imaginário. Sentia-me culpada pelo abuso que sofri na minha infância, embora não fosse eu a pessoa que o cometeu e odiasse o que estava sendo feito comigo. Aquela culpa se desenvolveu e se transformou no que chamo de culpa habitual. Simplesmente me sentia culpada o tempo todo por nenhum motivo específico, do mesmo modo que me sentia pelos erros que eu cometia. Eu tinha um sentimento de falsa culpa cujas raízes eram a vergonha.

As emoções têm mente própria, e Satanás as usa para nos enganar. Não podemos presumir que, porque nos sentimos de certa maneira, esses sentimentos estejam nos dizendo a verdade. Em outras palavras, só porque me sinto culpada não significa que eu seja culpada. Do mesmo modo, posso não me sentir culpada e ainda assim ter cometido pecado. Posso ter racionalizado em minha mente que o que fiz foi justificável embora fosse contra a Palavra de Deus, e ao fazer isso enganei a mim mesma. O apóstolo Paulo disse que ele não sentia nada contra si mesmo, mas que não era justificado por seus sentimentos. Ele deixava tudo nas mãos de Deus e esperava que Deus o convencesse do pecado quando necessário: "Embora em nada minha consciência me acuse, nem por isso justifico a mim mesmo; o Senhor é quem me julga" (1 Coríntios 4:4).

Os homens que espancam suas esposas as fazem sentir que o espancamento é culpa delas. As mulheres que permitem esse tipo de tratamento têm pouca ou nenhuma autoestima. Elas sentem que se o casamento delas fracassar será culpa delas, e muitas realmente acreditam que devem merecer o tratamento que recebem. Ouvi dizer que 7% de todas as mulheres sofrem abuso físico e 37% sofrem abuso verbal ou emocional. Isso significa que existem muitas mulheres que se sentem culpadas e não têm autoestima.

Culpa e Ira

A culpa é uma das causas da ira. Sabemos inerentemente que não fomos feitos para sentir culpa. Talvez não entendamos conscientemente, mas o nosso organismo se rebela contra isto. Deus quer que nos sintamos amados e aceitos, e por este motivo nos é dito incessantemente na Sua Palavra que Ele nos ama incondicionalmente.

Mesmo quando ainda estávamos no nosso pecado e antes de nos importarmos com Deus ou de sequer tentarmos fazer alguma coisa certa, Ele nos amava e nos enviou Seu Filho para morrer por nós e para pagar pelos nossos pecados. Quando recebemos Jesus como nosso Salvador, Ele leva o nosso pecado e nos dá a Sua justiça (ver 2 Coríntios 5:21). Duvido que muitos de nós entendamos o impacto total desse acontecimento. Sem que nenhum preço precisasse ser pago por nós, somos justificados com Deus. Podemos nos sentir certos em vez de errados!

Por que não dar um passo de fé e experimentar essa sensação? Diga ou pense algo de bom sobre si mesmo. Não estou encorajando um tipo errado de orgulho, mas o encorajo a ser ousado o suficiente para crer que é a pessoa maravilhosa que Deus diz que é.

No Salmo 139, Davi confessou que ele sabia que Deus o criara, e depois disse: "Maravilhosas são as tuas obras, e a minha alma o sabe muito bem" (Salmos 139:14, AA).

Você acredita em seu coração que Deus o criou cuidadosamente e que você é maravilhoso? A maioria das pessoas teria medo de acreditar nisto. Por que nos sentimos mais confortáveis quando nos sentimos mal a respeito de nós mesmos do que quando nos sentimos bem? Será que colocamos o foco nos nossos erros e raramente sequer olhamos para os nossos pontos fortes? Nós nos punimos pelos nossos fracassos, mas raramente comemoramos as nossas vitórias.

No livro de Cântico dos Cânticos, a Bíblia descreve uma alegoria da história de amor entre Deus e o Seu povo. Olhe atentamente a seguinte passagem:

> [Ele exclamou] Você é toda linda, minha querida; em você não há defeito algum.
>
> Cântico dos Cânticos 4:7

Deus o ama e vê o que há de bom em você. Ele vê o que você está se tornando e o que será e não está excessivamente preocupado

> *A sua presença é um presente para o mundo. Você é único e é exclusivo na sua espécie. Nunca se esqueça, nem mesmo por um dia... o quanto você é especial!*

com as suas falhas. Ele sabia de todas elas quando o convidou para ter um relacionamento íntimo com Ele. Tudo que Ele quer é o seu amor e a sua disposição de crescer nele.

A sua presença é um presente para o mundo. Você é único e é exclusivo na sua espécie. *Nunca se esqueça, nem mesmo por um dia... o quanto você é especial!*

Dê um Passo de Fé

Você quer dar um passo de fé e, independentemente do que sentir, concorda com Deus que Ele o ama? Você foi maravilhosamente formado e tem muitos talentos e pontos fortes. É valioso, e como crente em Jesus, você é a justiça de Deus nele. Você é certo diante de Deus e não errado!

Comece a falar contra os sentimentos de culpa e diga: "Fui perdoado; portanto, não sou culpado. Estou certo com Deus." Creio que mencionei que acreditamos mais no que ouvimos nós mesmos dizer do que no que ouvimos os outros dizerem, portanto comece a dizer algo de bom e abafe as outras vozes que o condenam.

Lute por si mesmo! Combata o bom combate da fé e recuse-se a viver abaixo do nível em que Jesus quer que você viva. O Seu reino é justiça, paz e alegria (ver Romanos 14:17). Não se contente com nada menos.

A culpa é a ira direcionada a nós mesmos. Você vai interromper o ciclo destrutivo, dar um passo de fé, e declarar "Jesus levou as minhas iniquidades e a minha culpa — e eu sou livre!"?

Uma atriz muito conhecida disse que ela não acredita em culpa; ela acredita em viver por impulso desde que o que faça não prejudique aos outros. Ela disse: "Sou livre." Essa mulher vive para si mesma e faz exatamente o que lhe agrada, mas parece muito infeliz. Embora seja um sucesso nas telas, ela não é um verdadeiro sucesso.

Culpa

A sua ideia é muito mundana, e nasceu do egoísmo e é inteiramente diferente daquilo que estou dizendo.

Quando dizemos "Sou livre", queremos dizer que a nossa liberdade foi comprada pelo sangue e pelo sacrifício de Jesus Cristo. Vivemos sem culpa porque Ele pagou pelos nossos pecados. Sem esse conhecimento não há uma vida verdadeiramente livre da culpa.

As pessoas podem dizer que são livres para fazer o que querem, mas uma pessoa verdadeiramente livre é livre para viver em obediência a Deus e para deixar de fazer o que deseja quando sabe que seus atos prejudicarão alguém.

Da Agonia ao Êxtase

Podemos aprender a controlar a culpa conhecendo a verdade da Palavra de Deus e olhando de uma maneira racional para algumas das coisas que nos fazem sentir culpados. É normal e saudável sentirmos culpa quando fazemos algo errado, mas quando ela continua e se torna um vício, temos um problema sério que não irá desaparecer sem um confronto.

O cristianismo não é uma religião passiva. Deus nos deu as Suas promessas, mas precisamos fazer a nossa parte. Somos parceiros dele. Nós cremos e Ele trabalha! Precisamos dizer isto com seriedade: "Não serei escravo da emoção da culpa." Estude a Palavra de Deus com relação ao tema da justiça até que tenha revelação com relação a quem você é em Cristo.

A nossa confiança está nele, não em nós mesmos, na nossa aparência, na nossa educação, nos nossos títulos, no nosso grupo social ou em qualquer coisa terrena. O nosso valor e dignidade estão no fato de que Jesus morreu por nós. Deus viu você como algo valioso, então Ele deu o Seu melhor. Ele deu o Seu único Filho para comprar a sua libertação do cativeiro do pecado e da culpa.

Karla Faye Tucker tinha muitos motivos para se sentir culpada. Na manhã de 13 de junho de 1983, ela e seu namorado, ambos

Capítulo 12

drogados, decidiram ir "visitar" Jerry Dean, um conhecido que Karla sentia que a tratara mal. Jerry estava em casa dormindo com uma mulher que ele conhecera naquele dia.

Karla e seu namorado entraram na casa e surpreenderam o casal adormecido. Ela golpeou Dean com uma enxada 28 vezes e depois executou sua companheira. Ela foi julgada, condenada, e recebeu a sentença de morte. Viveu no corredor da morte na prisão federal de Huntsville, no Texas, durante os quatorze anos seguintes.

Mas esse é apenas o começo da história.

Seu caso atraiu a atenção mundial, em parte porque ela foi a primeira mulher a ser executada nos Estados Unidos desde antes da Guerra Civil. O outro motivo pelo qual seu caso teve ampla cobertura foi porque Karla Tucker se tornou cristã enquanto estava na prisão, e ninguém mais do que Pat Robertson e o papa João Paulo souberam de sua obra extraordinária com as pessoas durante seus anos de aprisionamento. Ambos pediram ao governador para que ela fosse poupada.

Em 3 de fevereiro de 1998, Karla foi levada à sala onde seria morta por injeção letal. Em seus momentos finais, ela disse: "Eu gostaria de dizer à família Thornton e à família de Jerry Dean que sinto muito... vou estar face a face com Jesus agora. Amo muito todos vocês. Eu os verei a todos quando chegarem lá. Vou esperar por vocês." De acordo com testemunhas, ela parecia estar cantarolando suavemente enquanto esperava para encontrar-se com o Senhor.

Karla Faye Tucker era muito culpada. Ela era culpada de atos que são difíceis até de se imaginar. Ela também foi redimida de sua culpa por Deus quando aceitou a Cristo, e sabia disso. Karla podia ter passado o seu tempo na prisão concentrada na culpa, mas, em vez disso, passou os anos que lhe restavam ensinando em grupos de estudo bíblico, ajudando outros internos e louvando a Deus por Sua misericórdia.

Se uma assassina que usou uma enxada para matar pôde reconhecer a sua culpa, aceitou o perdão de Deus e seguiu em frente, então você e eu também podemos. Embora a minha situação seja muito menos dramática que a de Karla Faye Tucker, tive um enorme problema com os sentimentos de culpa. Travei uma verdadeira batalha para finalmente poder dizer: "Sou livre." Se eu posso fazer isso, você também pode. Se qualquer pessoa pode ser livre, você pode ser livre, portanto não se contente com nada menos. Viver sem a companhia constante da culpa é uma sensação inexplicável; é algo maravilhoso e está disponível a todos aqueles que acreditarem nisso.

Vivendo Livre da Culpa

Ouvi uma história sobre um homem que havia falsificado informações em sua declaração de imposto de renda durante anos. Ele começou a se sentir culpado, e finalmente a culpa o impediu de dormir tranquilamente. Ele escreveu uma carta à Receita Federal dizendo que falsificara informações de seu Imposto de Renda e que estava anexando um cheque de 150 dólares. Ele acrescentou ainda que se continuasse sem dormir bem, ele enviaria mais dinheiro mais tarde.

Não faça apenas o suficiente para aliviar o sentimento de culpa. Em vez disso, tome a decisão de aprender a viver livre da culpa. Existem duas maneiras de fazer isso. A primeira e melhor forma é escolher a coisa certa em primeiro lugar e depois não há motivo para se sentir culpado. Ou peça imediatamente o perdão de Deus quando reconhecer que pecou. Não se contente meramente em combater a culpa todos os dias, mas em vez disso, estude a Palavra de Deus e ore a respeito disso até poder dizer genuinamente: "Não há condenação para aqueles que estão em Cristo" (ver Romanos 8:1).

Decisão e confissão: *Não vou desperdiçar minha vida me sentindo culpado.*

Capítulo 13

Medo

O medo é uma emoção que costumamos sentir. Certa dose de medo é saudável e nos mantém livres de problemas. O medo de atravessar a rua quando o sinal está aberto e o trânsito vem na sua direção e o medo de colocar a mão no fogo aceso são medos saudáveis. Seria melhor dizer que esse tipo de percepção é sábio. Se uma pessoa está com dores no peito irradiando para o braço, deveria ter medo de ignorá-la. É um aviso de que algo pode estar errado. Existem pessoas que convidam os problemas porque não prestam atenção ao medo saudável. Mas alguns tipos de medo não são saudáveis e só nos atormentam e nos impedem de progredir.

A lista de medos incapacitantes que tiram a nossa qualidade de vida é interminável. Como podemos experimentar a libertação do medo que nos atormenta? Creio que a única maneira de vencer o medo é viver com ousadia. A ousadia nos capacita a confrontar o nosso medo e a nos recusarmos a permitir que essa emoção nos governe. Na verdade, dizem que ter coragem é avançar, mesmo em face do medo.

Os sentimentos de medo são reais e podem ser muito fortes. O medo é uma das emoções negativas mais poderosas que encontramos ao longo da vida. Quanto mais permitirmos que os sentimentos de medo nos governem, tanto mais fortes eles se tornarão.

Medo

Dizem que uma pessoa regida pelo medo tem um espírito de medo. Em outras palavras, ela age e toma a maioria das decisões com base não na fé, mas no medo. Aqueles que têm um espírito de medo são propensos a pensar na pior coisa que poderia acontecer, em vez de pensarem na melhor. A lista de suposições do tipo "e se..." é interminável, e o medo do desconhecido os mantém congelados e incapazes de fazer um progresso saudável na vida. Todos nós sentimos medo de tempos em tempos, mas isso é muito diferente de vivermos com um espírito de medo.

Não creio que devemos tolerar qualquer medo que não seja saudável. Quando sentimos fortemente que podemos tomar determinada atitude, talvez uma atitude que Deus esteja nos levando a ter, e o medo tenta paralisar-nos, precisamos "agir mesmo com medo". Compartilhei este princípio simples, mas poderoso, em alguns de meus livros, mas é impossível ensinar sobre o medo sem ele. O confronto geralmente é necessário para obtermos libertação. Satanás opera muito seriamente para roubar a liberdade que Jesus nos deu, e nós precisamos estar preparados para resistir-lhe com determinação em todo o tempo.

A melhor reação quando você sente medo é dizer enfaticamente: "Não temerei." Não posso prometer que esta declaração fará o sentimento de medo desaparecer, mas ela diz ao diabo qual é a sua posição, e é uma maneira de lembrar a si mesmo que você tem o direito de viver com ousadia, sem permitir que o medo o governe. Os sentimentos de medo desaparecerão pouco a pouco por si só. O medo é a ferramenta número 1 usada por Satanás para impedir que as pessoas estejam dentro da vontade de Deus e desfrutem a vida que Ele preparou para elas.

Existem milhares de medos diferentes, mas os princípios de como derrotar o medo são os mesmos, independentemente do tipo de medo que estejamos tratando. A seguir, encontram-se alguns medos que prevalecem na vida das pessoas.

Capítulo 13

Medos Comuns

Um dos medos mais fortes e mais persistentes é o medo das pessoas não terem o que precisam. Queremos nos sentir seguros na nossa convicção de que teremos o que necessitamos, quando necessitamos. Podemos sentir medo de que nos faltem as finanças necessárias ou as companhias necessárias, ou de não termos a força e a capacidade necessárias para realizar as coisas que precisamos realizar.

Seu chefe pode exigir que trabalhe por longas horas em benefício dele, para que ele possa ganhar mais dinheiro sem lhe oferecer qualquer benefício. As exigências dele o afastam excessivamente da sua família e o deixam cansado e esgotado. Se ele for uma pessoa controladora, provavelmente usará o seu medo de perder o emprego como uma maneira de mantê-lo obediente às exigências dele, mas você precisa ter limites em sua vida para a sua própria proteção.

Também podemos ter medo de que nos faltem as respostas que precisamos quando temos de tomar uma decisão importante.

Independente de qual seja o medo, a Palavra de Deus diz que não devemos ter medo, porque Ele está conosco. É simples assim: "Não temas, pois Eu estou contigo" (Isaías 41:10). Deus tem tudo de que precisamos e Ele nos ama, de modo que, como qualquer pai amoroso, Ele supre as nossas necessidades. Ele prometeu nunca nos deixar nem nos abandonar. Nunca dorme, está sempre presente e cuida de nós com um cuidado amoroso.

Estou certa de que isto traz uma pergunta à sua mente: *Se Deus está comigo, por que coisas ruins me acontecem?* Deus nunca nos promete uma vida livre de problemas, mas Ele nos promete a Sua presença e a força (mental, física e emocional) que nos é necessária para passarmos pelos nossos problemas. Isto me encoraja a lembrar que embora Daniel tivesse de entrar na cova dos leões, ele saiu ileso. Seus amigos Sadraque, Mesaque e Abede-Nego tiveram de entrar na fornalha de fogo. Eles tiveram até de passar pelo fato da fornalha ter sido aquecida muito além do usual, mas um quarto homem apareceu na fornalha (Jesus) para estar com eles, e finalmente também saíram ilesos. A Bíblia afirma até que eles entraram na fornalha amarrados e saíram soltos. Foi dentro da fornalha que eles foram libertados do seu cativeiro! Uau! A Bíblia diz que quando saíram, eles nem sequer tinham cheiro de fumaça (ver Daniel 3:6-27).

> *Talvez devêssemos dar mais valor às lições da fornalha.*

Talvez devêssemos dar mais valor às lições da fornalha. Entendi que não apenas crescemos espiritualmente em nossas provações, como crescemos muito mais do que quando tudo vai bem. Seja qual for o problema, podemos ter certeza de que "isto também passará", e seremos mais fortes e conheceremos melhor a Deus quando tudo terminar.

> Eu lhes dei autoridade para pisarem sobre cobras e escorpiões, e sobre todo o poder do inimigo; nada lhes fará dano.
> **Lucas 10:19**

Há vários anos, uma amiga minha fez um *check-up* de rotina e soube dias depois que seu médico temia que ela tivesse um linfoma não-Hodgkin, a forma mais agressiva da doença. Foram necessários mais exames, e disseram-lhe que poderia levar duas ou três semanas antes que se pudesse chegar à confirmação do diagnóstico.

Perguntei à minha amiga como ela passou por aquelas semanas de incerteza e se teve medo. "Sim, tive medo", ela me disse, "mas eu também sabia que fosse qual fosse o resultado, ele não seria surpresa para Deus". Então, ela disse algo mais que poderia ajudá-lo, quer você esteja com medo de um diagnóstico, de uma possível perda de emprego, ou simplesmente de qualquer coisa. Ela me disse que entendia que se ela se preocupasse durante três semanas e depois soubesse que estava com o linfoma, teria desperdiçado três semanas valiosas de sua vida. E se ela se preocupasse durante três semanas e soubesse que não tinha o linfoma, teria desperdiçado três semanas valiosas de sua vida.

Capítulo 13

"Acredite se quiser", disse ela, "não perdi um minuto de sono durante esses 21 dias".

Quando o resultado dos exames finalmente chegou, minha amiga soube que ela realmente estava com o linfoma não-Hodgkin. Ela fez uma cirurgia e quimioterapia por muitos meses. Fico satisfeita em lhe dizer que, dez anos depois, ela está com ótima saúde. E não perdeu três semanas valiosas.

Vamos Adotar uma Nova Atitude

Creio que alguns crentes modernos têm medo excessivo das provações e dos problemas. Ao primeiro sinal de problemas, começamos a nos encolher de medo. Os crentes que viveram nos séculos passados pareciam ter uma força diferente da maioria dos crentes de hoje. Estamos muito acostumados à conveniência e geralmente não lidamos bem com qualquer forma de sofrimento; ele nos assusta. Vamos nos lembrar de como Davi enfrentou o gigante Golias e nos alegrar em derrotar o medo em vez de deixar que ele nos governe. Você é muito mais que os seus sentimentos.

Você é filho do Deus poderoso e amado, e pode fazer o que for preciso na vida por intermédio de Cristo, que é a sua força (ver Filipenses 4:13).

Pode haver momentos em nossas vidas em que Deus permita que passemos por sérias dificuldades para nos capacitar a ministrar aos outros que estão sofrendo e consolá-los. Se for isto que Deus permitir em nossas vidas, podemos ter certeza de que somos capazes, porque Ele promete nunca permitir que passemos por mais do que podemos suportar.

Considere a seguinte passagem:

> Bendito seja o Deus e Pai de nosso Senhor Jesus Cristo, Pai das misericórdias e Deus de toda consolação, que nos consola em todas as nossas tribulações, para que, com a consolação

que recebemos de Deus, possamos consolar os que estão passando por tribulações.

2 Coríntios 1:3-4

Estes versículos falam de consolo e dão encorajamento. Deus coloca coragem em nós para podermos passar pela vida sem o tormento agonizante do medo. Deus não me libertou do abuso que sofri na minha infância quando lhe pedi para fazer isso, mas Ele me fortaleceu durante aquele período, e a minha experiência se tornou uma fonte de consolo para muitas pessoas. Ele não me libertou da situação, mas me libertou dos efeitos dela. Posso dizer como Sadraque, Mesaque e Abede-Nego que havia realmente um quarto homem na fornalha de fogo comigo. Como eles, eu saí da fornalha e nem sequer tenho cheiro de fumaça.

Deus promete uma vida de ressurreição que nos levanta de entre os mortos, mesmo enquanto estamos no nosso corpo (ver Filipenses 3:10). O apóstolo Paulo afirmou que estava determinado a conhecer Deus e o poder desta vida de ressurreição. Independente do que você possa estar passando neste momento, encorajo-o a tomar a decisão de que Deus o fará atravessar, e você não terá de ter medo de que lhe falte algo em qualquer área da sua vida, porque Deus é fiel.

Toda vez que duvidar que Deus virá em seu socorro, leia a seguinte passagem:

> Conservem-se livres do amor ao dinheiro e contentem-se com o que vocês têm, porque Deus mesmo disse: "Nunca o deixarei, nunca o abandonarei". Podemos, pois, dizer com confiança: "O Senhor é o meu ajudador, não temerei. O que me podem fazer os homens?"
> **Hebreus 13:5-6**

Deus instruiu Josué a conduzir os israelitas até a Terra Prometida depois que Moisés morreu. Josué esteve próximo a Moisés e sem dúvida viu em primeira mão as dificuldades que Moisés passou. Será que ele seria capaz de fazer o que Moisés havia feito? Será que poderia suportar a incredulidade, a murmuração, e a reclamação do povo? Será que era forte o bastante? Será que o povo respeitaria a sua liderança? Deus lembrou a Josué que assim como Ele era com Moisés, assim Ele seria com ele. Então Deus disse a Josué diversas vezes que tudo que precisava fazer era continuar seguindo em frente. Deus nunca lhe prometeu que ele não sentiria medo, mas Ele lhe disse para confrontar o seu medo e ultrapassá-lo. A palavra *medo* significa correr ou fugir de. Com que frequência fugimos de algo com medo, quando está claro que Deus quer que fiquemos firmes e tomemos uma atitude, "mesmo com medo"?

Josué não podia deixar que o sentimento de medo o dominasse, e nós também não podemos. Deus tem um bom plano para a sua vida, mas Satanás usará o medo para fazer um esforço para roubar esse bom plano. Cabe a nós decidirmos se ele irá ter êxito ou não. Pare de esperar que todos os seus sentimentos de medo desapareçam e confronte-os com ousadia na força de Deus.

Todas as noites, entrego minhas preocupações a Deus. Afinal, Ele vai ficar acordado a noite inteira de qualquer jeito.
Mary C. Crowley

Você Está Desconectado?

Não há racionamento de energia no céu. Deus nunca está de recesso. A Sua graça é suficiente para suprir cada necessidade. O que é graça? Graça é o poder do Espírito Santo vindo a nós livremente, nos capacitando a fazer com facilidade o que jamais poderíamos fazer sozinhos. Você pode encontrar outras definições afirmando que a graça é o divino favor de Deus e isso certamente é verdade, mas foi importante que eu aprendesse que a Sua graça era o poder que eu precisava para viver minha vida em vitória. A graça pode ser recebida unicamente por meio da fé, e este é um dos principais motivos pelos quais precisamos resistir ao medo. Quando permitimos que o medo nos governe, inconscientemente recebemos o que Satanás planejou para as nossas vidas em vez daquilo que Deus planejou.

A fé é o plugue que nos liga à graça de Deus. Pense em uma lâmpada. A lâmpada pode clarear somente se estiver conectada a uma fonte de luz. Se estiver desconectada, ela não funcionará, independentemente de quantas vezes ligarmos e desligarmos o interruptor. Certa vez, eu estava em um quarto de hotel tentando fazer um abajur funcionar, e frustrada, pensei: *Será que estes hotéis não podem sequer ter um abajur que funcione?!* Então alguém do departamento de manutenção foi ao meu quarto, e descobriu que o abajur estava desconectado da tomada. Pergunto novamente: "Você está desconectado?" Você permitiu que o seu medo tirasse a sua fé? Em caso positivo, não se preocupe com isso. Simplesmente decida-se agora mesmo que vai ter uma nova atitude, uma atitude cheia de ousadia, coragem e fé.

Não podemos agradar a Deus sem fé, então é lógico que precisamos trabalhar com o Espírito Santo em todo o tempo para resistirmos ao medo e ficarmos cheios de fé.

Libere a Sua Fé

Não há dúvida de que o medo pode ser intenso e não uma coisa facilmente ignorada. Ele pode gerar manifestações físicas de tremores, boca seca, pensamentos desenfreados e sentimentos de pânico. Portanto, dizer "Ignore o medo" seria um tanto ridículo. Mas posso lhe garantir que a sua fé é maior do que qualquer medo que possa ter.

A fé é dada a todos os homens, de acordo com Romanos 12:3, mas essa fé precisa ser liberada para que faça algum bem na prática.

Capítulo 13

Pode parecer espiritual dizer: "Sou cheio de fé", mas será que está usando a sua fé? Como você libera a sua fé? É tão simples que creio que costumamos deixar este ponto passar. A fé é liberada quando oramos, dizemos e fazemos o que Deus nos pede para fazermos. Três passos simples:

Orar

A maioria de nós acredita que a oração é poderosa, por isso, essa deve ser sempre a nossa primeira linha de defesa. Convidamos Deus para se envolver nas nossas situações por meio de nossas orações. A Bíblia diz que há um tremendo poder disponível por intermédio das orações de um homem justo. Como recebemos a justiça de Deus pela nossa fé em Cristo, podemos entrar com ousadia diante do trono da graça e pela fé pedir ajuda a tempo de suprir a nossa necessidade (ver Hebreus 4:16).

Não ore simplesmente para que o problema desapareça, ou para ter algo que precisa ou deseja, mas ore também para que Deus o fortaleça durante o seu período de espera. Ore para que tenha a graça de esperar com uma atitude positiva. A Bíblia nos ensina que quando oramos, se acreditarmos que recebemos e não duvidarmos, o nosso pedido de oração nos será concedido (ver Marcos 11:22-24). Ela não diz que teremos o que pedimos imediatamente, mas que o teremos. Creio que a atitude com a qual esperamos determina em parte quanto tempo teremos de esperar. Uma boa atitude glorifica a Deus e é um bom testemunho da nossa fé para os outros.

Dizer

Depois que oramos, é importante falarmos como se realmente acreditássemos que Deus está agindo em nosso favor. Não temos de negar a existência do problema, mas devemos falar sobre ele o mínimo possível. Também é muito importante incluir nas nossas conversas que acreditamos que Deus está envolvido e que esperamos uma reviravolta. Mantenha com firmeza a sua confissão de fé em Deus! Podemos estar conectados a uma fonte de energia e nossos fios podem embaralhar-se e terminarmos queimando um fusível. Quando isto acontece, perdemos força. O que quero dizer em termos práticos? Quando oramos e pedimos alguma coisa específica, e depois continuamos reclamando como se nunca tivéssemos orado, estamos provocando um curto-circuito na nossa fé. Uma oração positiva e uma afirmação negativa podem nos levar de volta à estaca zero. Liberamos poder quando oramos, e negamos poder quando reclamamos ou fazemos qualquer tipo de afirmação negativa.

A boa notícia é que quando queimamos um fusível podemos ir até a caixa de distribuição de energia e reajustar tudo. Podemos voltar para Deus e reajustar a nossa fé e a nossa boca na direção certa. Não perca a esperança se você cometeu alguns erros.

Fazer

O terceiro ingrediente é liberar a sua fé para fazer o que acredita que Deus está lhe pedindo para fazer. A obediência é uma chave para a nossa vitória e mostra que temos fé em Deus. Quando Deus disse a Moisés para falar à rocha e a água sairia para que os israelitas pudessem beber, ele não obedeceu a Deus. Moisés ficou furioso, e bateu na rocha duas vezes em vez de falar à rocha, como Deus lhe dissera para fazer. Deus disse a Moisés que ele não o honrou diante dos israelitas fazendo exatamente o que lhe fora dito. Quando a mãe de Jesus lhe pediu para providenciar mais vinho para o casamento do qual eles estavam participando, ela se voltou para os servos e disse: "Façam tudo o que Ele lhes disser!" Eles precisavam de um milagre para que a festa de casamento prosseguisse como esperado, e para ter o milagre, eles precisavam agir exatamente de acordo com as instruções de Jesus (ver João 2:1-11).

Capítulo 13

Às vezes, Ele até nos pede para não fazermos nada e, nesse caso, nada é o que precisamos fazer. A Bíblia diz para nos aquietarmos e sabermos que Ele é Deus (ver Salmos 46:10). Isto geralmente é mais difícil para mim do que ficar ativa fazendo algo. A obediência é uma maneira de liberar a nossa fé.

Se formos ouvintes da Palavra e não praticantes, estamos enganando a nós mesmos por meio de um raciocínio contrário à verdade (ver Tiago 1:22). A ação obediente é um requisito para os milagres. Jesus encontrou um homem cego, que lhe pediu a cura. Ele cuspiu no chão, fez lama e esfregou-a nos olhos do homem, e depois disse a ele para ir se lavar em um tanque de água. O homem poderia ter dado uma desculpa e ter dito: "Jesus, sou cego. Como posso encontrar a água? E, além do mais, este método de cuspir e esfregar lama nos meus olhos parece pouco ortodoxo." Jesus era previsivelmente imprevisível. Ele fazia as coisas de maneiras diferentes quando agia com pessoas diferentes. Creio que isso pode ter acontecido para mostrar que não é o método que importa. O que é importante para nós é confiar e fazer o que Ele diz.

Não há dúvida de que o medo virá, mas se você continuar avançando, ele não terá meios de controlá-lo. Embora o medo possa estar falando com você, isto não significa que tem de ouvi-lo. Satanás usará o medo para roubar o nosso destino se lhe permitirmos, mas quando a nossa fé é liberada, ela tem mais poder do que o medo.

Veja o Panorama Geral

Quando colocamos o foco no que saiu errado, pode começar a parecer que nada nunca dá certo, mas isso simplesmente não é verdade. Muitas coisas terríveis aconteceram em minha vida: o abuso durante a minha infância, o fracasso do meu primeiro casamento, o câncer de mama, a histerectomia, as enxaquecas durante dez anos, a perda dos amigos e da família quando fui chamada para o ministério... eu poderia seguir em frente e aumentar ainda mais a lista, mas o ponto que quero chegar é que mesmo com tudo isto, os meus dias bons superaram em número os meus dias maus.

Olhe para a sua vida como um todo em vez de colocar o foco nas tragédias, nas provações e nas decepções. Olhar para o que é bom lhe dará coragem para lidar com as coisas ruins e evitar viver com medo. Em cada uma das situações que mencionei, senti medo, mas consegui passar por elas com a ajuda de Deus. Entender isto me dá coragem para encarar o futuro com ousadia, sabendo que realmente posso todas as coisas por intermédio de Cristo, que me fortalece.

Medo da Inadequação

Muitos dos nossos medos estão enraizados na insegurança e no duvidar de si mesmo. O que você acha de si mesmo? Encorajo-o a trabalhar com o Espírito Santo para ver-se como Deus o vê. Não existe poder sem confiança. Você tem medo de Deus não estar satisfeito com você? Você faz uma lista regular de todas as suas falhas, fracassos passados e fraquezas, e depois se sente fraco devido ao medo? Em caso positivo, então está se concentrando na coisa errada.

Deus nos dá o Seu poder (graça) para nos capacitar a fazer o que é necessário apesar das nossas fraquezas. Na verdade, a Bíblia diz que o Seu poder se aperfeiçoa e é demonstrado melhor por meio das nossas fraquezas. Deus escolhe deliberadamente as coisas fracas e tolas do mundo para operar por intermédio delas para que demos a Ele a glória pelo que está sendo feito. Deus quer surpreender o mundo, e uma das maneiras pelas quais Ele faz isto é realizando grandes coisas por meio de pessoas que são fracas e que não têm a habilidade natural para completar a tarefa que têm à mão (ver 1 Coríntios 1:25-29).

Quando Deus chamou Moisés para liderar os israelitas tirando-os do Egito e levando-os à Terra Prometida, Moisés deu uma desculpa

Capítulo 13

após outra com relação à razão pela qual ele não podia obedecer. Todas as desculpas dele estavam enraizadas no medo. Somente a fé agrada a Deus. A certa altura, Deus ficou tão zangado com Moisés que Ele, na verdade, ameaçou matá-lo caso não obedecesse. Ele finalmente deu um passo de fé, que se manifestou na obediência, e Moisés foi usado poderosamente por Deus.

Jeremias era um jovem chamado por Deus para fazer coisas poderosas, mas ele também se encolheu de medo. Deus finalmente disse a Jeremias que se ele permitisse que o temor dos homens o dominasse, Deus permitiria que fosse vencido e derrotado diante deles (ver Jeremias 1:17).

Experimentei muito medo de mim mesma, então, se está passando por isso, neste instante, posso lhe garantir que sei como você se "sente". Mas estou encorajando-o a lembrar-se de que os seus sentimentos não transmitem a verdade; só a Palavra de Deus faz isso. Talvez sinta que não é o que deveria ser, que é estranho ou incomum, mas a verdade é que todos nós fomos criados de uma forma exclusiva por Deus com um propósito específico e devemos aprender a gostar de nós mesmos em vez de ficarmos atormentados pelo medo de sermos inadequados.

Desperdicei alguns anos querendo ser como outras pessoas que eu conhecia, mas descobri que Deus não vai nos ajudar a ser alguém além de nós mesmos. Relaxe, aprenda a amar-se, e não tenha medo de não conseguir fazer o que precisa fazer. A verdade é que nenhum de nós pode fazer o que é preciso sem a ajuda de Deus. Se olharmos apenas para o que achamos que podemos fazer, todos nós ficaremos assustados; mas se olharmos para Jesus e colocarmos nele o nosso foco, Ele nos dará coragem para seguir em frente mesmo diante do medo.

Comece hoje a administrar a emoção do medo e você progredirá para o melhor que Deus tem para sua vida.

Decisão e confissão: *Serei corajoso e não permitirei que a emoção do medo me governe.*

Capítulo 14

Lidando com a Perda

Parece-me que a única coisa que nos deixa felizes quando perdemos é o peso, e até isso é um processo doloroso! Fora isso, a perda geralmente é algo devastador. Mas quer gostemos disso quer não, a perda é uma parte da vida da qual não podemos fugir, e todos passamos por isso. É durante esses momentos que temos emoções mais intensas. A própria palavra *perda* geralmente é associada a acontecimentos importantes na vida: a perda de um emprego, de um casamento, de um ente querido. Mas a perda não se limita a grandes crises. Passamos por muitas perdas, grandes e pequenas, no curso de uma vida normal. Nossos filhos crescem e não precisam de nós como antes. Envelhecemos e não podemos manter o ritmo que tínhamos.

A Escala de Holmes-Rahe para Avaliação do Estresse, que mede o impacto dos principais acontecimentos da vida sobre a saúde de uma pessoa, inclui 41 acontecimentos que desencadeiam o estresse em larga escala. Cada acontecimento recebe certo número de pontos, e quando a soma desses pontos atinge 150 ou mais, o risco de doenças cresce drasticamente. É interessante observar que oito dos dez principais acontecimentos são perdas; as duas únicas exceções são o casamento e a reconciliação matrimonial.

Capítulo 14

Até a aposentadoria, que geralmente é um período maravilhoso da vida, envolve a perda de uma rotina que durou décadas, de um salário garantido e, às vezes, de uma sensação de propósito e utilidade.

Acontecimento	Pontos de Estresse
1. Morte de um cônjuge	100
2. Divórcio	73
3. Separação conjugal	65
4. Prisão	63
5. Morte de um membro próximo da família	63
6. Lesão ou enfermidade	53
7. Casamento	50
8. Demissão do emprego	47
9. Reconciliação conjugal	45
10. Aposentadoria	45

O que separa a perda de outras situações é o fato de que muitas perdas são permanentes, e embora uma perda possa um dia ser seguida de outra coisa boa, a perda em si não pode ser desfeita. Quando uma amizade termina, você pode fazer outro amigo e desfrutar as mesmas atividades que apreciava com seu antigo amigo, mas a amizade original se foi para sempre, a não ser que haja uma reconciliação. Você não pode relembrar com o seu novo amigo as ótimas férias que suas famílias tiraram juntas ou o tempo em que vocês dois comeram em um restaurante, e depois descobriram que nenhum dos dois levara a carteira.

Quando um casamento termina, seja pelo divórcio seja pela morte, aquela união se foi para sempre. Embora possa casar-se novamente e viver grandes alegrias, talvez até mais do que antes, os momentos especiais que tornavam o seu relacionamento com o primeiro cônjuge único, agora são coisa do passado. Embora as lembranças lhe deem prazer, elas são um substituto fraco para a realidade concreta.

Quando uma pessoa perde o emprego, ainda que ela consiga outro melhor mais tarde, a dor de ter sido "mandada embora" fica por muito tempo.

Passe pelo Problema em vez de Contorná-lo

Em *A Grace Disguised: How the Soul Grows Through Loss* (A Graça Disfarçada: Como a Alma Cresce por Intermédio da Perda), Jerry Sittser descreve sua experiência depois que sua esposa, sua mãe e sua filha pequena morreram em um trágico acidente de carro. Em frações de segundos, ele perdeu sua genitora, sua ajudadora e sua criança.

Esforçando-se para lidar com a tragédia na qual fora lançado, certa noite Jerry teve um sonho. Ele estava correndo para o oeste, tentando alcançar o sol que se punha e sentir o seu calor e a sua luz. Mas perdia a corrida. Enquanto ele seguia, o sol estava sempre na frente dele, dirigindo-se na direção do horizonte. Por mais rápido que corresse, o sol se mantinha a distância. No sonho, ele perdeu a esperança e caiu nas trevas.

Mais tarde, ele descreveu o sonho a um amigo, que lhe mostrou que a maneira mais rápida de alcançar o sol e a luz do dia não é indo para o oeste, correndo atrás do sol poente, mas dirigir-se para o leste e mergulhar nas trevas até que o sol nasça.

"Naquele momento descobri", disse ele, "que eu tinha o poder de escolher a direção que minha vida tomaria, ainda que a única escolha para mim, pelo menos em princípio, fosse fugir da perda ou enfrentá-la da melhor maneira possível. Uma vez que eu sabia que as trevas eram inevitáveis, decidi... entrar nas trevas em vez de tentar ultrapassá-las".

A boa notícia é que existe alguma coisa esperando por você do outro lado da perda. Pode ser outro emprego, pode ser outro cônjuge, ou uma nova capacidade de ter empatia por outros que estão passando por uma situação semelhante à sua. Mas você tem uma escolha. Pode atravessar a sua perda e sair do outro lado. A decisão de prosseguir não elimina as emoções que sentimos, mas as emoções vão se acalmar com o passar do tempo. É importante não deixar que as nossas emoções nos controlem durante a perda. É melhor não tomar decisões precipitadas nem fazer mudanças repentinas até que tenhamos tido a oportunidade de nos ajustar mentalmente à perda.

As Fases da Perda e da Dor

Elisabeth Kübler-Ross foi a primeira a reconhecer que existem padrões de reação à perda quando estudou as experiências das pessoas com morte e óbito nos anos de 1970. Ela aprendeu que a maioria das pessoas passa por fases semelhantes quando sofrem uma perda importante, e embora nem todos passem pelas mesmas fases, as descobertas dela nos dão um bom mapa da estrada do que esperar quando temos perdas. Vamos discutir cada uma das quatro fases da tristeza:

1. Choque e Negação

Susan foi gerente do serviço aos clientes de uma grande organização de pedidos pelo correio durante nove anos. Ela progrediu na companhia desde o tempo em que tinha 22 anos, recebendo boas revisões de salário e promoções consistentes ao longo do caminho. Como gerente, criou uma maneira de limitar a fila de espera dos clientes ao telefone em quinze segundos ou menos, e aumentou a produtividade do seu departamento em 30%.

Ela estava no meio do trabalho com um programa piloto que acabaria inteiramente com as respostas gravadas aos telefonemas de clientes, e as operadoras ao vivo ajudavam cada investigação.

Os negócios ainda estavam em baixa por causa da recessão, mas os noticiários começavam a dizer que a economia mudava, e a situação começava a melhorar.

Era uma quinta-feira comum à tarde, e o dia de trabalho terminava. Quando sua diretora chamou Susan ao seu escritório para a reunião semanal, Susan estava pronta para produzir os últimos números, ainda em progresso e, possivelmente, relaxar por alguns minutos conversando com ela sobre os filhos, que estavam na mesma série.

No instante em que entrou no escritório de Renee, Susan logo viu que não haveria conversa naquele dia. Renee parecia irritada. Ela ofereceu a Susan uma xícara de café e depois lhe disse que a empresa estava cortando custos; que eles fizeram tudo que era possível para adaptar o orçamento, mas ainda estavam perdendo dinheiro. Quatro gerentes estavam perdendo o emprego, e infelizmente, Susan era um deles. Ela podia concluir as pendências no dia seguinte e depois despedir-se de seus colegas. Renee lamentava muitíssimo; aquilo não tinha nada a ver com o desempenho de Susan, mas tinha tudo a ver com tentar impedir que a empresa naufragasse. Susan saiu da sala da diretora tonta. Em princípio, ela não conseguia acreditar. Com certeza estava sonhando.

Em um minuto a vida é boa; no minuto seguinte, o mundo vira de cabeça para baixo, e o choque e a surpresa se instalam.

Deus nos criou de tal maneira que o nosso cérebro possui um sistema de defesa. O cérebro entende que, às vezes, simplesmente não podemos assimilar a realidade de uma grande mudança; seria avassalador demais absorver tudo de uma vez. Então ele se recusa a permitir que todo o impacto nos atinja de imediato. Gosto de dizer que Deus nos construiu com amortecedores, como os de um carro, para amortecer o impacto quando atingimos um buraco grande na estrada. Durante essa fase, você se sente anestesiado, como se estivesse andando enquanto dorme. Você pode se pegar simplesmente olhando para as paredes, incapaz de focar em alguma coisa ou de fazer até mesmo as tarefas diárias. Do nada, sacode a cabeça e diz a si mesmo: "Não consigo acreditar."

2. Tristeza

Quando o choque diminui, a tristeza se instala. Às vezes, a dor é tão intensa que emerge na forma de sintomas físicos. Pode ocorrer fadiga, insônia, perda de apetite e até dores no peito. Ondas de tristeza passam por você como a maré do oceano. Exatamente quando pensa que está se sentindo melhor, outra onda bate contra você. Ler Salmos pode ser muito consolador em momentos como esse.

3. Ira

Esta é a fase do "Por que eu?" Susan pensava sem parar: *Isto não é justo!* Ela trabalhara arduamente e fizera um bom trabalho para a empresa. Com certeza havia outra maneira de eles economizarem sem cortar seu emprego. Por que não se importaram o suficiente para encontrar uma forma de mantê-la na empresa?

Acredite ou não, a ira é parte valiosa do processo de cura. Diferente da tristeza, que é desgastante, a ira nos dá energia e nos impele a avançar.

> Quando vocês ficarem irados, não pequem. Apaziguem a sua ira antes que o sol se ponha.
>
> **Efésios 4:26**

Creio que a ira é uma das emoções mais incompreendidas que os cristãos experimentam. Muitas pessoas acreditam que ficar irado é anticristão, mas a Bíblia não nos diz para não nos irarmos. A ira justa é normal, inevitável, e até saudável. Mas quando a ira empola e infecciona dentro de nós, ela causa todo tipo de caos na nossa mente e no nosso corpo. Ela eleva a nossa pressão sanguínea e pode gerar úlceras.

> *Muitas pessoas acreditam que ficar irado é anticristão, mas a Bíblia não nos diz para não nos irarmos.*

A Bíblia nos *diz* para não deixarmos o sol se pôr sobre a nossa ira. Em outras palavras, é melhor lidar rapidamente e de forma decisiva com a ira, e não permitir que ela controle os seus atos.

Você está irado porque seu marido perdeu o emprego?, porque sua mãe está perdendo a saúde e a força?, porque seu amigo morreu? Tudo bem. Fique irado. Mas quando se irar, não peque. Não culpe Deus. Não fale mal daquele ex-patrão. Grite e jogue alguns travesseiros para o alto (de preferência quando não houver ninguém em casa). Depois siga em frente, porque embora a sua ira seja natural, ela não vai mudar a situação. Encorajo-o firmemente a falar com Deus abertamente durante toda essa crise. Diga a Ele que você está irado e peça a Ele para ajudá-lo a lidar com a sua ira de uma maneira apropriada.

4. Depressão

Depois que o choque, a tristeza e a raiva fizeram a sua parte, a depressão pode se instalar. Durante a depressão, o senso geral de esperança no futuro da pessoa se perde. As atividades da vida parecem sem sentido, e a pessoa geralmente evita o contato com os amigos e a família. Esta é uma reação normal à perda, mas se ela persistir por muito tempo, talvez seja bom procurar aconselhamento com alguém que trate especificamente a crise que passamos durante uma grande perda, ou falar com alguém que tenha passado pela mesma experiência. Um bom amigo, que é um pastor, passou pela morte de um filho que foi eletrocutado debaixo da plataforma na igreja. Para piorar as coisas, o acidente foi resultado de uma fiação malfeita instalada por um dos membros de sua igreja. Ele e sua esposa demoraram muito tempo para se recuperar da perda, mas agora ajudam muitas pessoas que perderam seus filhos.

Na maior parte do tempo, a depressão proveniente da perda diminuirá gradativamente quando a fase seguinte entrar em ação. Em Salmos, Davi falou abertamente sobre sentir-se deprimido, mas ele se recusou a permitir que a emoção o controlasse (ver Salmos 42:5-6, 11; 43:5). Gostaria de dizer novamente: tenha muito cuidado ao tomar decisões importantes durante um período de depressão induzida pela

Capítulo 14

tristeza. É provável que qualquer decisão seja influenciada pela maneira que você se sente no momento e, talvez, descubra que não era absolutamente aquilo o que queria quando tiver tido tempo para curar-se.

5. Aceitação e Esperança

Depois de perder o emprego, Susan passou pelas fases de tristeza por várias semanas. Lentamente, começou a sair dos sentimentos de choque e desespero, e percebeu que o mundo não ia acabar. Embora tivesse orgulho de suas realizações e de sua identidade como gerente de serviços aos clientes, ela percebeu que seu trabalho era apenas uma faceta — embora importante — de quem ela era. Ela ainda era uma esposa, uma filha e uma amiga. Ela não perdera seu talento ou sua disciplina ou suas habilidades. Ela precisava apenas usá-los em algum lugar. Ela atualizou seu currículo e começou a procurar outro emprego.

Foram necessários alguns meses, mas Susan conseguiu encontrar outra posição que utilizasse sua capacitação... e a nova empresa tinha uma política de férias mais generosa. Após alguns meses, Susan estava estabelecida e feliz em seu novo emprego.

Creio que quando uma grande perda acontece não há lugar para ela no nosso pensamento. É tão chocante e doloroso que simplesmente não sabemos como pensar no assunto. Quanto maior a perda, tanto mais tempo pode levar para ser curada. O tempo permite que nos ajustemos mentalmente à maneira que as coisas estão no momento, e podemos finalmente fazer planos para o futuro.

Como Ser Curado

Você não pode impedir que os pássaros da tristeza voem sobre a sua cabeça, mas pode impedi-los de construir ninhos em seus cabelos.

Provérbio Chinês

Minha amiga Lauren não se casou até os 45 anos. Ela costumava brincar com frequência dizendo que seria mais fácil encontrar-se face a face com Elvis do que conhecer o seu futuro marido, o amor de sua vida. Logo ficou claro, porém, que Bob era realmente o amor de sua vida; ela o chamava de seu "presente de Deus". Às vezes, era difícil acreditar que alguém pudesse ter um casamento tão maravilhoso!

> *Você não pode impedir que os pássaros da tristeza voem sobre a sua cabeça, mas pode impedi-los de construir ninhos em seus cabelos.*

Há pouco mais de um ano, Bob foi ao hospital para fazer uma cirurgia comum de vesícula. Ele estava muito cansado e debilitado havia meses, e Lauren esperançosa de que após a cirurgia ele teria a sua antiga energia de volta e se sentiria melhor do que nunca. Alguns dias depois de voltar para casa do hospital, ficou claro que alguma coisa ainda estava errada com Bob. Lauren levou-o ao hospital novamente, onde eles encontraram uma infecção causada por uma bactéria "altamente resistente". Embora fosse sério, havia antibióticos que podiam tratá-la, e disseram a Lauren que Bob provavelmente poderia voltar para casa dentro de apenas alguns dias.

Na manhã seguinte, o telefone de Lauren tocou às 6 da manhã. Era do hospital, avisando que Bob tivera duas paradas respiratórias durante a noite, e que ele precisava de uma cirurgia de emergência para salvar sua vida. Ele passou pela cirurgia, mas a infecção já havia atacado todos os seus principais órgãos. Durante um mês ele ficou à beira da morte, e só conseguiu comunicar-se com Lauren uma vez, quando abriu os olhos e sussurrou as palavras "Eu te amo". Depois de 31 dias na UTI, Bob morreu.

Lauren ficou arrasada. Ela esperou tanto tempo para se casar, e agora era uma viúva, aos 55 anos, depois de apenas dez anos de casamento.

Recentemente, sentei-me com Lauren e pedi a ela para me contar sobre sua experiência durante o ano que se seguiu à morte de Bob. Como ela lidou com aquilo? O que as pessoas fizeram que a ajudou? O que não foi útil? Pedi a ela que desse aos meus leitores alguns dos benefícios da sua experiência com a dor. Embora a experiência de Lauren tivesse sido com a morte, percebi que cada ponto se aplica a muitos tipos de perdas. Veja a seguir algumas coisas que ela compartilhou comigo:

1. Apenas Continue Respirando

Lauren me disse que depois que Bob morreu, ela não conseguia imaginar passar o restante de sua vida sem ele. Ela dizia a si mesma que precisava apenas chegar ao final do ano seguinte, que seria o ano mais difícil, mas isso foi avassalador demais. Pouco a pouco, ela foi reduzindo o tempo que precisava atravessar para conseguir superar sua dor. Um mês era assustador demais; até uma semana, ou um dia, parecia muito. Finalmente, ela percebeu que tudo que tinha de fazer era simplesmente continuar respirando e, finalmente, conseguiria superar tudo. "Apenas continue respirando" passou a ser o seu lema.

Lembro-me de um tempo em que passei por uma perda importante e que eu dizia a mim mesma: "Apenas levante-se e coloque um pé na frente do outro." Eu sentia que precisava continuar me movendo para não afundar em meio ao desespero que sentia.

2. Não Tome Nenhuma Decisão Importante Nem Faça Nenhuma Mudança Importante por um Ano

Depois que Bob morreu, Lauren quis fugir. Bob passara dois anos reformando amorosamente a casa deles e por todo lado que Lauren olhava ela via sinais de Bob. Na verdade, muitas vezes se referiu à casa deles como a carta de amor de Bob para ela. Ela temia que a casa se tornasse mais uma prisão do que um lar. Lauren também pensou em mudar de emprego durante o ano seguinte. Ela se surpreendeu pensando em deixar seu emprego e se mudar para outra cidade. Talvez fosse hora de começar de novo.

Logo, Lauren decidiu não fazer nada por um ano. Ela ficou na casa e continuou trabalhando, e depois que um ano se passou, descobriu que sua casa era um lugar consolador cheio de lembranças maravilhosas. Ela finalmente deixou seu emprego, mas a essa altura já podia pensar com mais clareza, e fez uma transição suave para um ambiente de trabalho que era melhor para ela.

3. Chore

Não há problema em chorar. Na verdade, chorar é bom para você. O Dr. William Frey, um bioquímico muito respeitado, liderou uma equipe de pesquisas que estudou as lágrimas por quinze anos. Eles descobriram que as lágrimas derramadas por motivos emocionais são feitas de elementos químicos diferentes das lágrimas causadas por agentes irritantes ou quando descascamos cebolas. As lágrimas emocionais contêm toxinas do corpo que as lágrimas causadas pelas cebolas, por exemplo, não contêm. Eles concluíram que os elementos químicos que se acumulam no organismo durante os períodos de estresse são removidos do corpo dentro das lágrimas de tristeza. Não apenas isso, elas também contêm altas quantidades de um hormônio que é um dos maiores indicadores de estresse. Suprimir essas lágrimas, na verdade, contribui para doenças físicas que são agravadas pelo estresse, inclusive a pressão alta, problemas de coração e úlceras pépticas. E você sabia que somente os humanos podem chorar? Todos os animais produzem lágrimas para lubrificar seus olhos, mas só as pessoas choram por estar tristes ou angustiadas.

Lauren me disse que durante os primeiros meses de luto, ela adotou a rotina de entrar em seu carro para dar uma "volta para chorar". Ela fechava as janelas, dirigia pela estrada e se permitia gemer, gritar e chorar (não se preocupe, disse ela; ela sempre conseguia ver a estrada). Ela me contou que a liberação física e emocional era palpável, e que se sentia aliviada quando estacionava o carro de volta na entrada de casa. Depois de cada grande período de choro (na estrada ou em casa), Lauren dizia a si mesma que ela estava um acesso de choro mais perto da cura, o que a fazia sentir que estava progredindo.

4. Dê um Tempo a Si Mesmo

Muitos de nós temos a tendência de colocar os interesses de outros à frente dos nossos. Lauren percebeu que era muito importante para ela respirar um pouco mais do que o normal e se paparicar. Ela decidiu fazer uma massagem todas as semanas e ser boa consigo mesma de um modo geral. Se não tivesse vontade de limpar a casa em um sábado ou de levar um prato para o jantar coletivo da igreja, ela não o fazia. Ela tentou não se criticar por não ser uma supermulher. Ela se permitiu plantar flores e fazer as unhas. Dar a si mesma permissão de ir com calma a ajudou a passar por aqueles primeiros meses difíceis.

5. Cuide da Sua Saúde

Os pesquisadores aprenderam que lidar com a morte de um ente querido requer a mesma quantidade de energia necessária para se trabalhar em um emprego em tempo integral. O que significa que se estiver trabalhando na época, você estará trabalhando em dois empregos em tempo integral! Outras grandes perdas são quase tão debilitantes quanto essa. É fácil criar hábitos que são nocivos à saúde, como alimentar-se mal, ir se deitar tarde, e até negligenciar a higiene como escovar os dentes. Faça o seu melhor para descansar; tire sonecas sempre que possível. Tente cuidar da sua saúde... Ficar doente apenas irá aumentar os desafios.

6. Encontre Alguém com Quem Você Possa Conversar

Quer você dependa de amigos com quem possa contar em longo prazo ou participe de um grupo de apoio, é vital certificar-se de que você não tente "suportar" esse período difícil sozinho. Você perceberá logo com quem pode contar. Seja quem for, é muito importante falar livremente com os outros que entendam a amplitude da sua perda. Lauren foi afortunada por ter bons amigos a quem podia dizer (quase) tudo que lhe vinha à mente. Ela também passou a participar de um *site* de apoio cristão chamado Grief Share (Compartilhe a Sua Dor) (www.griefshare.org), que envia *e-mails* diários com palavras úteis e de encorajamento (disponível apenas em inglês).

7. Não Guarde Sentimentos de Remorso

Embora Lauren e Bob se amassem afetuosamente, ela foi assombrada por uma breve conversa que ocorreu não muito antes de Bob cair doente. Ele lhe dissera que sentia falta de ouvi-la tocar piano. Cansada de um longo dia de trabalho e ainda tendo de lavar a louça do jantar, Lauren respondeu: "E quando exatamente será que vou ter tempo de fazer isso?" Na sua maneira graciosa usual, Bob não disse nada, e Lauren esqueceu-se do comentário até depois da morte de Bob.

Mas quando se lembrava disso, ela, muitas vezes, pensava naquela observação mordaz e começava a chorar. *Por que ela fora tão má com o homem que a amava incondicionalmente?* Finalmente, começou a perceber que ela simplesmente é humana; que estava cansada e impaciente naquele dia, e que não fazia ideia do que estava por vir tão depressa. Bob não iria querer que ela se castigasse por causa disso, e certamente não enquanto ainda estava vivenciando as contorções da dor. Ele gostaria que ela pensasse no amor que eles viveram e nas lembranças felizes que eles tinham construído ao longo dos anos.

> *Aprenda com o seu passado e decida não repeti-lo. Depois, esqueça-o.*

O remorso não é uma emoção muito útil. Você não pode desfazer o que foi feito, mas pode impedir a cura e provocar doenças em si mesmo. Aprenda com o seu passado e decida não repeti-lo. Depois, esqueça-o.

8. Lembre-se de Que Você Não Vai se Sentir Assim para Sempre

Existem duas versões de um velho conto sobre um antigo rei que chamou todos os seus conselheiros e sábios para se reunirem e lhes deu um desafio. Uma versão diz que ele pediu-lhes que resumissem a sabedoria do mundo. Outra versão diz que o rei ordenou aos sábios que lhe dessem uma frase que seria sempre verdadeira, independentemente de qual fosse a situação. Em ambas as versões da história, a frase que atendeu à exigência do rei foi: "Isto também passará."

Lauren frequentemente lembrava a si mesma que as coisas mudariam. Essa mudança poderia ser lenta, mas ela nem sempre estaria sentindo essa dor terrível. Ela me contou que está progredindo. Ela não chora tanto quanto chorava, agora aprecia coisas que não conseguiam interessá-la por muito tempo, e — o mais importante — ela tem esperança no futuro.

9. Escreva a Respeito

Considere a hipótese de fazer um diário. Existe alguma coisa quando escrevemos que nos ajuda a passarmos pelos problemas difíceis. Talvez seja porque o seu diário é um dos poucos lugares onde você não precisa censurar-se ou se preocupar com a reação que as suas palavras causarão. Ele também é uma crônica da sua jornada que lhe servirá muito bem. Quando ler o que escreveu, poderá ter uma visão objetiva do progresso que fez. Lauren não percebeu que estava progredindo até olhar para trás depois de alguns meses e observar que já não ficava mais se virando na cama durante horas antes de adormecer. Poder ver o progresso da cura em preto e branco lhe ajudará a perceber que você está realmente avançando.

10. Perdoe

As pessoas bem-intencionadas dirão coisas que o irritarão ou ofenderão. No dia seguinte ao aniversário da morte de Bob, uma das colegas de trabalho de Lauren procurou-a e disse: "Bem, já se passou um ano, você está bem agora?" *Não!* Lauren queria dizer. *Não estou bem!* Mas ela sabia que sua colega estava fazendo o máximo para ser animadora e simpática. Então sorriu e disse: "Estou melhor, obrigada." Lembre-se de que mesmo que não digam sempre a coisa certa, as pessoas estão tentando apoiá-lo. Você pode agir com graça e apreciar as intenções delas, mesmo que nem sempre tenham êxito.

Se o tratamento injusto de alguém for a causa da perda que está sofrendo, assegure-se de perdoar a essa pessoa completamente. Sentir ódio e falta de perdão é como tomar veneno e esperar que ele mate o seu inimigo. Todos os sentimentos amargos que temos quando somos tratados injustamente ferem somente a nós, e não a pessoa que nos magoou.

11. Lembre-se de Que Ainda Existem Coisas pelas Quais Você Deve Ser Grato

Finalmente, Lauren me contou que uma das coisas que ela fez depois da morte de Bob e que mais a auxiliaram no seu processo de cura foi lembrar-se de ser grata pelas coisas boas que ainda tinha. Todas as manhãs, a caminho do trabalho, ela orava. No início, ela simplesmente dizia a Deus como estava se sentindo. Um dia, ocorreu-lhe que tudo que estava fazendo era reclamar, e que Deus devia estar ficando entediado e irritado. Então ela agradeceu a Ele por ter lhe dado Bob por dez anos. Isto mudou tudo. Ela pensou em mais coisas pelas quais era grata: todas as lembranças maravilhosas que tinha; o fato de que, de todas as pessoas no mundo, Deus *a* havia escolhido para lhe dar Bob. Então ela agradeceu a Deus por seu lar; pelo lindo céu azul e pela brisa leve e pelas flores cor-de-rosa. Antes de se dar conta, Lauren estava passando mais tempo em oração agradecendo a Deus do que reclamando com Ele. E ela também se sentia melhor.

12. Conte com o Consolo de Deus

Os justos clamam, o Senhor os ouve e os livra de todas as suas tribulações. O Senhor está perto dos que têm o coração quebrantado e salva os de espírito abatido.

Salmos 34:17-18

Capítulo 14

Lauren me contou que acredita que Deus chora conosco quando sofremos uma grande perda. Acho que ela está certa. Afinal, quando Jesus nos ensinou a orar, Ele nos disse para chamarmos Deus de "Abba", que é mais bem traduzido como "Papai". Qual é o pai que não sofre quando o seu garotinho volta derrotado para casa depois de ter errado a jogada no jogo do campeonato infantil? Qual é a mãe que não sente o próprio coração partir quando sua garotinha volta para casa após a aula depois de ter sido ridicularizada no recreio? No esquema geral das coisas, estas são pequenas perdas e mágoas, e os pais sabem disso. Mas a dor de ver seu filho sofrer ainda assim é atroz.

Imediatamente depois de ter ensinado os discípulos a orar o que conhecemos como a Oração do Pai Nosso, Jesus perguntou: "Qual de vocês, se seu filho pedir pão, lhe dará uma pedra? Ou se pedir peixe, lhe dará uma cobra?" (Mateus 7:9-10).

Em outras palavras, porque Ele é o nosso Pai, Deus sofre quando sofremos. Por alguma razão, Ele escolheu reduzir os Seus milagres nestes dias a um mínimo. Assim, embora Ele possa mudar as nossas circunstâncias, na maior parte das vezes Ele não o faz. Mas quando Ele vê Seus filhos sofrerem, Ele sofre também.

Quando estiver sentindo a dor da perda e da tristeza, peça a Deus para segurá-lo na palma da Sua mão, para sussurrar palavras de consolo e para acariciar sua cabeça, como um pai cuida de seu filhinho com febre. Você pode *sentir* esse consolo ou não, mas a Palavra de Deus é verdadeira, e Ele também.

Como Ajudar um Amigo Que Sofreu uma Perda

Acredite se quiser, é muito fácil ajudar um amigo que sofreu uma perda. Temos a tendência de querer dar uma solução para o sofrimento do nosso amigo, mas o que ele realmente precisa e quer é compreensão.

Certa vez, quando eu estava indo a um enterro, disse a Deus que eu simplesmente não sabia o que dizer à pessoa. Ele me disse: *Ela só precisa que você se sente ao lado dela.* Durante uma perda dolorosa, as pessoas precisam de alguém que as ouça falar sobre sua perda e a respeito do que estão sentindo e, muitas vezes, é melhor não tentar dar conselhos porque a maior parte do que diríamos não ajudaria de qualquer forma.

Uma amiga minha perdeu seu filho mais novo. Ela pediu para encontrar-se comigo e naturalmente eu queria ajudá-la, mas percebi que a maior parte do que eu tinha a oferecer como conselho a irritava ou a deixava na defensiva. Em princípio, fiquei magoada, mas depois percebi que a dor dela era intensa demais para permitir que ouvisse qualquer conselho; ela precisava de alguém que a escutasse e que simplesmente lhe dissesse que ela iria conseguir superar aquela tragédia.

Veja a seguir algumas coisas boas para se dizer — e outras que *não* se deve dizer. Mas o importante a lembrar é isto: não é o que você diz que realmente importa. O que importa é apenas que o seu amigo possa contar com você naquele momento. Quando estiver em dúvida, diga apenas "Como você está?" e ele dará continuidade ao assunto.

Coisas Boas para Dizer

- "Não consigo imaginar como se sente, mas quero que saiba que sinto muito por você estar passando por tudo isto."
- "Quando você quiser conversar, pode contar comigo. Talvez eu não saiba o que dizer, mas vou ouvi-lo com amor."
- "Como você está?"
- "Gostaria que você não tivesse de passar por isto."
- "Quero que saiba que estou orando por você."

O Que Não Dizer

- "Sei como você se sente."
- "É hora de seguir em frente com a sua vida."
- "Você é muito forte... você pode lidar com isso."

Capítulo 14

O Que Fazer

1. Mande um Cartão

Um cartão é um presente. É um presente ainda melhor se acrescentar uma linha ou duas escritas a mão. Não precisa ser uma mensagem longa. Apenas uma frase sincera dizendo alguma coisa como a frase a seguir será como remédio sobre uma ferida: "Sei que este é um momento extremamente difícil para você, e quero que saiba que você está nos meus pensamentos e nas minhas orações de uma forma especial neste instante."

Se você conheceu a pessoa que morreu, uma breve lembrança é algo tremendamente consolador. Por exemplo: "Lembro-me do lindo sorriso de Tom... ele tinha uma maneira de fazer que eu me sentisse tão especial sempre que conversávamos."

Se sua amiga perdeu o emprego ou a saúde, um cartão é uma maneira maravilhosa de demonstrar a ela que você se importa.

2. Dê um Telefonema — Principalmente Algum Tempo Depois

Algumas semanas depois de um enterro, a onda inicial de simpatia para com o enlutado passa. Então os dias se tornam longos e solitários. A maioria das pessoas volta à sua vida e a pessoa que está sofrendo é deixada sozinha. De repente, a caixa de correio volta às contas e catálogos normais e o telefone se cala. Um breve telefonema apenas para dizer: "Tenho pensado em você. Como você está?" será um presente para a sua amiga que ela jamais esquecerá. Faça isso de vez em quando; qualquer hora é uma boa hora.

3. Toque Seu Amigo

Quando estiver com a pessoa que sofreu a perda, você pode consolá-la por meio do toque. Segure a mão dela e aperte-a suavemente; dê-lhe um abraço caloroso ou um simples tapinha nas costas. O toque é uma das maneiras de demonstrarmos amor.

Decisão e confissão: *Com a ajuda de Deus, vou recuperar-me da minha perda e ser grato pelo que ainda tenho.*

Capítulo 15

Libertação do Desânimo e da Depressão

O que é depressão? O *Dicionário Webster* diz que é "o ato de pressionar para baixo; um estado de fraqueza. Um lugar côncavo, um afundamento do humor; abatimento; um estado de tristeza; falta de coragem ou força".

As pessoas que são deprimidas perdem o interesse naquilo que apreciavam, e geralmente passam por mudanças no sono ou nos seus hábitos alimentares. Elas podem sentir-se desvalorizadas ou não conseguir concentrar-se. Elas podem se sentir solitárias e sem esperança. Creio que o sentimento de depressão é um dos piores que existem. Posso dizer sinceramente que se eu tivesse de escolher entre a dor emocional da depressão ou algum tipo de dor física, preferiria a dor física.

A Bíblia não utiliza o termo "depressão", mas em vez disso se refere ao sentimento como "abatimento". A depressão é um sentimento, e este livro destina-se a ensinar como controlar os sentimentos em vez de permitirmos que eles nos controlem. Podemos controlar a depressão? Creio que a resposta é sim. Não creio que alguém tenha de viver permanentemente com depressão. Todos nós passamos por um dia ou outro em que o nosso humor está em baixa. Às vezes, é por

Capítulo 15

causa de uma decepção ou de uma perda, mas outras vezes realmente não sabemos por que nos sentimos assim. Se for apenas por um dia aqui e outro ali, não creio que devamos nos preocupar em excesso.

Somos seres complexos com muitas partes intrincadas que precisam funcionar todas perfeitamente em conjunto para termos uma saúde excelente. Há dias em que não nos sentimos bem física ou emocionalmente e, em geral, é melhor não nos preocuparmos com isso, descansar um pouco e, provavelmente, nos sentiremos melhor no dia seguinte.

Neste capítulo, gostaria de analisar dois tipos de depressão. O primeiro é a "depressão clínica", que é causada por alguma coisa física que não podemos controlar. O segundo é a "depressão situacional". Esta depressão é uma reação às circunstâncias da vida. Existe ajuda disponível para ambas, mas o tratamento é diferente para cada tipo.

A Depressão Clínica

Não sou médica, mas sei que é de conhecimento geral que os desequilíbrios hormonais, os desequilíbrios dos neurotransmissores e os distúrbios da tireoide estão no topo da lista da raiz das causas da depressão cuja fonte é clínica. Vários distúrbios do cérebro ou condições cardíacas também podem causar depressão.

A certa altura, comecei a observar que estava me sentindo triste e deprimida todas as manhãs durante quase duas horas, e depois parecia que superava aquilo o restante do dia. Pensei que estivesse apenas cansada ou pensando negativamente e que eu precisasse "animar-me", mas quando fui ao médico para fazer um *check-up* de rotina, ele percebeu que minha tireoide estava com uma taxa extremamente baixa, no limite. Ele disse que como os níveis estavam no limite aceitável, normalmente eles não seriam tratados, mas pelo fato de eu mencionar aquelas pequenas crises de baixa de humor, ele me receitou uma dose baixa de hormônio natural para a tireoide. Posso dizer com sinceridade que quando tomei o primeiro comprimido, aquela sensação branda de depressão que sentira desapareceu e não voltou.

Devido ao estresse sob o qual a maioria das pessoas vive hoje, muitas sofrem de desequilíbrios dos neurotransmissores que podem causar uma baixa nos níveis de serotonina no sangue. A serotonina é conhecida como o hormônio da felicidade, e se não tivermos serotonina suficiente, é provável que simplesmente não nos sintamos felizes. Os níveis de serotonina podem ser alterados pelos remédios, mas é sábio tentar corrigi-los naturalmente se possível. Eliminando o excesso de estresse, assim como nos alimentando com uma dieta adequada e fazendo exercícios, podemos ajudar imensamente a equilibrar os elementos químicos do cérebro.

Muitas mulheres passam por depressão depois de dar à luz ou durante o seu ciclo menstrual simplesmente por causa de mudanças hormonais no corpo. Essas mudanças podem ser temporárias ou podem exigir alguma atenção médica. O ponto a que quero chegar é que nem toda depressão pode ser curada com atenção médica, e não quero que ninguém se sinta condenado caso tenha de tomar remédios para depressão. Entretanto, creio que alguns médicos, inclusive os psiquiatras, muitas vezes receitam remédios muito depressa sem sequer procurar outros sintomas clínicos que podem estar causando a depressão. Também quero encorajar as pessoas que precisam tomar remédios a entender que elas podem não precisar tomar esses remédios para sempre.

Conheço uma mulher que estava passando por um momento muito estressante em sua vida e começou a ter ataques de pânico. Ela foi ao médico, que a encorajou a tomar um remédio para ansiedade, e isto a ajudou quase que imediatamente. Ela não apenas tomou o remédio, como fez algumas mudanças em seu estilo de vida para reduzir o estresse e tomou a decisão de não se preocupar com coisas que não podia controlar. Depois de cerca de seis meses a mulher quis ver se podia se livrar dos remédios. Ela foi diminuindo a dose lentamente até poder parar completamente e tem estado bem desde então.

Capítulo 15

Mesmo que a depressão seja causada por motivos clínicos, o que compartilharei sobre a depressão situacional ajudará as pessoas a confrontarem os sentimentos de baixa de humor por qualquer motivo. Recuperar-se da depressão geralmente exige um programa de tratamento bem equilibrado que inclua coisas como aprender a pensar de modo diferente, rir mais e se preocupar menos. Como disse, não sou médica, mas tenho ensinado a Bíblia há mais de trinta anos, e estou certa de que não temos de permitir que as nossas situações e as circunstâncias da vida nos deprimam.

A Depressão Situacional

Muitas pessoas que passam por problemas, decepções ou tragédias são tentadas a se afundarem na depressão. Pelo fato de que o nosso humor está diretamente ligado aos nossos pensamentos e palavras, quando nossos pensamentos começam a se dirigir para um território negativo, nosso humor tende a segui-los. Podemos nos deprimir com facilidade simplesmente pensando e falando sobre tudo que está errado em nossas vidas e no mundo em geral. Quando Deus nos deu a capacidade de controlar nossos pensamentos, Ele nos deu uma habilidade maravilhosa. Temos a capacidade de nos animarmos independentemente de quais sejam as nossas circunstâncias. Infelizmente, muitas pessoas não conhecem essa maravilhosa verdade. É fácil passar pela vida tendo uma mentalidade de vítima, simplesmente acreditando que você não pode fazer nada a respeito da maneira que se sente, principalmente se já teve uma grande decepção na vida.

> *Quando Deus nos deu a capacidade de controlar nossos pensamentos, Ele nos deu uma habilidade maravilhosa. Temos a capacidade de nos animarmos independentemente de quais sejam as nossas circunstâncias.*

Eis uma solução simples que a Bíblia nos dá para a depressão: Coloque vestes de louvor em vez de espírito angustiado (ver Isaías 61:3). O que

Deus nos oferece é maior que qualquer coisa que o inimigo nos oferença. O louvor neutralizará a tristeza, mas precisamos nos lembrar de que somos instruídos a "vestir" o louvor. Não podemos ser passivos e meramente esperar que o sentimento de tristeza desapareça.

Estive lendo um clássico cristão de Hannah Whitehall Smith intitulado *O Segredo de Deus para a Felicidade*. Fiquei impressionada e encorajada quando li que, apesar das dificuldades que teve em sua vida, ela tomou a decisão de sempre acreditar em Deus — com ou sem sentimentos, nos dias bons e nos maus.

Hannah se casou com Robert Smith quando tinha 19 anos. Ele parecia um jovem muito dedicado e romântico que administrava os negócios da família. Entretanto, logo ficou claro que era impulsivo e emocional. Ele também era inclinado a tomar decisões rápidas e impensadas, tanto nos negócios quanto na vida pessoal. O negócio de Robert acabou por falir. Depois de ter um forte encontro com Deus, ele começou a pregar o evangelho. Seu ministério como pregador terminou abruptamente devido a acusações de má conduta sexual. Sua saúde se deteriorou rapidamente e ele acabou tendo um colapso nervoso. Em meio a todas essas dificuldades, Hannah continuou a confiar em Deus e dizia frequentemente, como Jó: "Ainda que Ele me destrua, nele confiarei."

Hannah e Robert tiveram sete filhos, mas quatro deles morreram. Uma filha nasceu morta. Seu filho mais velho, Frank, morreu aos 18 anos de febre tifoide. Sua filha Nellie morreu aos 5 anos de bronquite. No aniversário de Hannah, 7 de fevereiro, sua filha Raquel de 11 anos morreu de escarlatina. Mas Hannah agarrou-se à sua fé tenazmente em meio a todas essas dificuldades.

Ela se tornou uma mestra da Bíblia e uma pregadora de confiança e muito requisitada. Ela passou por uma crise real na sua fé quando buscava diligentemente evidências do batismo no Espírito Santo ou, como geralmente era chamada naquele tempo, *a segunda bênção*. Muitas pessoas que ela conhecia, inclusive Robert, tinham experiências gloriosas, mas ela não. Cheia de insegurança a respeito de sua fé até quase chegar ao desespero, ela tomou a decisão de receber a plenitude do Espírito Santo apenas pela fé e de nunca duvidar de Deus novamente. Hannah aprendeu em sua vida que o próprio esforço para alcançar a santidade era inútil e que ela precisava depender inteiramente de Deus para fazer a obra nela. Essa dependência completa tornou-se o fundamento da sua fé.

Robert morreu incrédulo e seus filhos adultos perderam a fé. Em 1911, ela morreu tranquilamente aos 79 anos. Ao longo de sua vida, nunca perdeu a fé nem desonrou a Deus. Hannah pôde dizer: "Dei o meu melhor e não poderia fazer mais que isso." Embora escrever fosse um trabalho de amor para ela e não algo que realmente apreciasse, *O Segredo de Deus para a Felicidade* foi impresso durante 125 anos e vendeu milhões de cópias.

Hesitei em contar a história de Hannah porque não quero deixar a impressão de que a vida cristã é uma vida cheia somente de tragédias e tristeza, porque a verdade absolutamente não é esta. Mas quero enfatizar firmemente que embora suas circunstâncias fossem trágicas, Deus a conduziu por meio de todas as situações, usou-a poderosamente, e ela aparentemente foi feliz durante a maior parte de sua vida — feliz o bastante para escrever um livro sobre a felicidade! A alegria de Hannah estava em Jesus, e não nas suas circunstâncias.

A maioria das pessoas não quer experimentar o grau de dificuldade que Hannah experimentou, embora algumas possam, algum dia, ter de passar por dificuldades, mas os motivos para isso devem ser deixados nas mãos de Deus.

Tenha uma Conversa Consigo Mesmo

Quando percebo que estou de mau humor, geralmente converso comigo mesma. Digo: "Joyce, qual é o seu problema? Veja como é abençoada, Joyce, e pare de sentir pena de si mesma. Coloque sua mente em alguma coisa que a anime e tente fazer algo de bom por alguém." São impressionantes os bons resultados que tenho quando simplesmente converso comigo mesma; você deveria experimentar!

O salmista Davi fez-se uma pergunta quando estava se sentindo abatido. Ele disse: "Por que você está assim tão triste, ó minha alma? Por que está assim tão perturbada dentro de mim? Ponha a sua esperança em Deus! Pois ainda o louvarei; ele é o meu Salvador e o meu Deus" (Salmos 42:5; ver também 42:11; 43:5). A solução de Davi para a depressão foi esperar em Deus e esperar que algo de bom acontecesse. Ele disse a si mesmo para vestir-se com o louvor enquanto estava esperando que as circunstâncias mudassem.

Esse certamente é um excelente exemplo de alguém que deixou que seus sentimentos o controlassem. Davi tomou uma decisão que não tinha nada a ver com a maneira como ele se sentia.

Há outros lugares na Bíblia Sagrada em que Davi descreve estar se sentindo muito deprimido e desanimado, e com bons motivos. Ele tinha muitos inimigos, e Deus nem sempre o livrava deles rapidamente. Davi foi ungido para ser rei de Israel

> *São impressionantes os bons resultados que tenho quando simplesmente converso comigo mesma; você deveria experimentar!*

vinte anos antes de realmente usar a coroa. Por causa de sua inveja e de seu medo, o rei que estava no poder na época, Saul, tentou matar Davi inúmeras vezes. Davi literalmente se escondeu em cavernas por muitos anos, esperando que Deus fizesse alguma coisa. Não é de admirar que ele tivesse de conversar consigo mesmo muitas vezes e tomar a decisão de não permitir que as suas emoções o controlassem. Ele olhava para além do que sentia, em direção ao Deus que ele sabia que era fiel.

Você pode combater os sentimentos de depressão lembrando-se das bênçãos em sua vida. Você pode ouvir música ou cantar. Até mesmo tirar a mente de si mesmo fazendo algo para outra pessoa ajudará imensamente. Não esqueça que o nosso humor está ligado aos pensamentos; portanto, eu o incentivo a prestar atenção no que está pensando quando sentir-se deprimido. Você poderá descobrir a fonte do seu problema.

Capítulo 15

Falar sobre as vitórias passadas em sua vida também pode ser uma maneira de animar-se. Combata o bom combate da fé e faça tudo que for possível para ajudar a si mesmo. Se comparados à eternidade, os nossos dias na terra são curtos, e queremos desfrutar cada um deles. A depressão e a alegria simplesmente não podem habitar no mesmo coração, portanto incentivo-o encontrar tantas coisas que o façam se sentir feliz que não haja espaço para a depressão.

A Raiz da Depressão

A depressão situacional sempre tem uma causa ou uma raiz. Em geral é a decepção. Quando as expectativas ou o desejo são frustrados, geralmente ficamos decepcionados e é compreensível que nos sintamos assim. Se me esforço muito em alguma coisa e ela não dá frutos, sinto que desperdicei o meu tempo e começo a me sentir desanimada. Estou certa de que um agricultor se sentiria assim se fizesse todo o possível para garantir uma boa colheita e antes do tempo da colheita viesse uma tempestade e destruísse toda a sua plantação.

Expectativas frustradas levam à decepção. Esperamos certas coisas e comportamentos das pessoas, mas nem sempre recebemos o que esperamos. Às vezes, a maneira como as pessoas se portam nos chocam e decepcionam. Também esperamos certas coisas de nós mesmos e depois nos decepcionamos.

Esperamos coisas de Deus e por motivos que só Ele conhece, Ele não faz o que esperamos. A melhor coisa a fazer quando ficamos decepcionados é nos animarmos. Sacuda a decepção para longe e adquira um novo sonho, uma nova visão, um novo objetivo ou um novo plano. Em geral, o melhor remédio para uma mulher que sofreu um aborto é engravidar de novo assim que for seguro para a sua saúde. O mesmo princípio se aplica a você, sempre que se decepcionar.

Em Deus, há sempre um lugar para novos começos. Nunca é tarde demais para começar de novo! Quando o sol se levanta a cada manhã, ele está declarando: "É um novo dia; vamos começar de novo."

O desânimo é outra raiz da depressão. A pessoa desanimada está desencorajada; tem vontade de desistir; ela perdeu a esperança e não tem coragem para prosseguir. Quando estamos profundamente desanimados, tudo em nós está em depressão. O desânimo pode vir da decepção, ou você pode sentir que está em uma fase em que a vida parece difícil de suportar, ou parece que encontra problemas em todos os lados para onde você se volta.

Mencionei que estou tendo alguns problemas nas costas, e uma das coisas que provocam a dor é ficar sentada por muito tempo. Não posso escrever em pé, então poderia ficar desanimada por causa disso, pois preciso atingir um prazo final, então não posso esperar a melhora, devo escrever agora. Em vez de ficar desanimada, estou me adaptando e me levantando frequentemente para me esticar, usando gelo para combater a inflamação e muito remédio. Naturalmente, pensei: *Por que isto tinha de acontecer justamente agora?* Não recebi nenhuma resposta, mas isso é o que normalmente acontece quando perguntamos "Por que, Deus, por quê?"

Diversas pessoas observaram que tenho uma atitude positiva a respeito desta situação. Não seria bom se eu estivesse escrevendo um livro sobre não permitirmos que as nossas emoções nos controlem e ao mesmo tempo estivesse deixando que a minha emoção me controlasse! Creio que é importante entender que todos têm desafios, inclusive eu, e eles nunca são convenientes.

Desânimo

Às vezes, vemos a prosperidade dos maus e isso nos desanima. Como filhos de Deus, esperamos ser abençoados mais do que aqueles que não estão servindo a Deus. Poderíamos parafrasear um trecho do Salmo 73 da seguinte maneira: "Pareceu-me que os maus estavam em melhor condição que os justos, até que entendi que a paciência de Deus realmente se esgota e que Ele tratará com eles."

Capítulo 15

É um grave erro olhar o que as outras pessoas têm e comparar isso ao que você tem. Deus tem um plano exclusivo e individual para cada um de nós, e a comparação só tende a ser uma fonte de desânimo ou de orgulho. Se pensarmos que estamos melhor que outros, podemos ficar orgulhosos (nos achando melhores do que deveríamos); se acharmos que eles estão melhor do que nós, podemos ficar desanimados e até deprimidos.

A Bíblia afirma enfaticamente que os maus serão exterminados no fim, mas os justos herdarão a terra. Não creio que "o fim" signifique necessariamente o fim do mundo ou o fim das nossas vidas. Creio que significa que, no final das contas, no devido tempo (no tempo de Deus), as bênçãos dos filhos de Deus ultrapassarão as dos maus. A Palavra de Deus diz em Gálatas 6:9 que se nos recusarmos a nos cansarmos de fazer o bem, no devido tempo colheremos, se não desanimarmos.

Outra raiz que é a fonte da depressão e do desânimo é sentir-se mal consigo mesmo. Sentir vergonha de quem você é ou sofrer de uma culpa anormal pode fazer qualquer pessoa ficar deprimida facilmente. Se não gosta de si mesmo, os sentimentos negativos que tem dentro de si serão uma fonte contínua de dor interior. É vital que você aprenda a aceitar e a respeitar a pessoa que Deus o criou para ser. Todo o nosso comportamento pode estar longe de ser o que precisa ser, mas se estivermos dispostos a mudar, Deus continuará trabalhando em nós, e todos os dias melhoraremos cada vez mais de todas as formas. Não se despreze por causa das suas imperfeições; em vez disso, aprenda a celebrar os seus sucessos, até os menores.

Se você está deprimido, tente determinar qual é a fonte da sua depressão. É um problema clínico? Você decepcionou-se profundamente? Está desanimado? Sofreu uma perda em sua vida? Você se compara aos outros? Sente muita vergonha ou culpa por causa de erros passados ou por ter sido ferido por outras pessoas? Descansa o suficiente? Mantém equilíbrio em sua vida? Quais são os seus hábitos alimentares? Está extremamente endividado? Tem bons amigos dos quais gosta? Entender a fonte da depressão pode ajudar você a superá-la.

Desespero

Você já sentiu desespero de verdade? É um estado de total falta de esperança. A pessoa que está em desespero acha que não há saída para a sua situação. O salmista Davi disse que ele teria se desesperado se não acreditasse que veria a bondade de Deus na terra dos viventes. Davi sabia que se ele se permitisse ficar totalmente sem esperança, o desespero viria em seguida. Ele evitou chegar a esse ponto acreditando continuamente que algo de bom iria acontecer (ver Salmos 27:13).

Em seu clássico *Tudo para Ele*, Oswald Chambers indicou que quando Jesus disse: "Não se turbe o vosso coração", Ele estava afirmando que temos o controle sobre a maneira como reagimos às nossas circunstâncias. "Deus não vai impedir que o seu coração seja perturbado", disse Chambers. "É uma ordem: *'Não se turbe...'*. Levante o seu ânimo 101 vezes por dia a fim de fazer isso, até adquirir o hábito de colocar Deus em primeiro lugar e calcular tudo tendo Ele em vista".

Mesmo que tenha dificuldades em dizer que realmente acredita que algo de bom vai acontecer, comece dizendo isso em voz alta diversas vezes, e logo começará a acreditar.

Os suicídios estão aumentando rapidamente. Uma linha telefônica nacional de assistência a casos de emergência que recebe ligações 24 horas por dia, sete dias na semana, relatou que em abril de 2007, 38.114 pessoas ligaram para eles. Em abril de 2009, a mesma linha telefônica recebeu 51.465 ligações. Este é um aumento alarmante que acredito que tenha muito a ver com a situação mundial e a mídia negativa.

Quatro entre cada dez pessoas que ligaram relataram estar passando por estresse financeiro como um de seus problemas. A crise na economia pode afetar nossas atitudes e gerar medo e depressão se não colocarmos a nossa esperança em Deus em vez de colocá-la no sistema mundial.

Uma história do jornal *Charlotte Observer* trouxe algumas estatísticas alarmantes sobre tentativas de suicídio na Carolina do Norte.

Capítulo 15

A polícia de Charlotte relatou um aumento de 55% em tentativas de suicídio no ano anterior. Uma linha telefônica do município para assistência a casos de suicídios relatou três mil ligações a mais em março de 2009 do que em março de 2008, e um hospital local observou um aumento de 9% em pacientes que tentaram o suicídio ou consideraram a hipótese de suicídio. A Dra. Paula Clayton, diretora médica da American Foundation for Suicide Prevention (Fundação Americana para a Prevenção do Suicídio), afirmou que para cada suicídio, há provavelmente cem tentativas.

A maioria das pessoas em algum momento ou outro na vida já achou que não conseguiria continuar e, por um momento, desejou estar morta ou pensou pôr um fim em tudo. Até o grande profeta Elias disse a Deus que se ele teria inimigos perseguindo-o constantemente, então ele preferia morrer. Uma coisa é ter um pensamento momentâneo e passageiro de suicídio; outra coisa muito diferente é tentar realmente suicidar-se ou ter êxito em consumar o ato. Que trágico quando alguém está em tamanho desespero a ponto de preferir morrer a viver. Jesus morreu para que pudéssemos ter e desfrutar uma vida maravilhosa, poderosa e próspera, mas precisamos resistir a todas as tentativas do diabo de roubar essa vida de nós.

Hábitos e Decisões

A depressão e o desânimo podem ser reações que se transformam em hábito para muitas pessoas. É a maneira que encontram para reagir à decepção ou às provações de qualquer espécie. Eu tinha o hábito de sentir pena de mim mesma quando não conseguia as coisas do meu jeito, mas quebrei esse hábito com a ajuda de Deus e formei o hábito melhor de escolher ser feliz quer eu consiga o que quero, quer não. Tento confiar em Deus para me ajudar a adquirir o que Ele quer que eu tenha, e não meramente o que quero ter. Pode parecer que estou simplificando excessivamente o problema quando digo "Quebre o hábito da depressão". Mas para algumas pessoas, poderia ser algo simples assim. Você pode ter tido um pai ou uma mãe que sofreu de depressão e cresceu pensando que essa era a maneira normal de se viver, de modo que o seu hábito tornou-se igual ao deles. Meu pai era muito negativo, e tornei-me exatamente como ele, até que aprendi que podia optar por ser positiva.

Encorajo-o firmemente a começar a administrar a depressão ou qualquer tipo de humor relacionado a ela. A vida é um dom precioso demais para desperdiçarmos uma parte dela vivendo no buraco escuro e vazio da depressão.

Decisão e confissão: *A depressão e o desânimo não vão me controlar. Serei feliz e desfrutarei a minha vida.*

Capítulo 16

Por que É Tão Difícil Perdoar?

De Gênesis a Apocalipse, lemos sobre o perdão de Deus para conosco e acerca da nossa necessidade de perdoar aos outros. Este é um dos temas principais da Bíblia. Somos muito ávidos para receber perdão, mas geralmente achamos extremamente difícil dar a outros o perdão que recebemos liberalmente de Deus. Podemos querer perdoar, tentar perdoar e orar para sermos capazes de perdoar, no entanto continuamos amargos, ressentidos e cheios de pensamentos de ira e falta de perdão. Por quê? Se nós queremos perdoar, por que é tão difícil fazer isso?

A culpa é das emoções. Felizmente, você pode aprender a controlar suas emoções em vez de permitir que elas o controlem. Perdoar aqueles que nos feriram é uma das principais áreas em que precisamos aplicar o que estamos aprendendo.

Que tipo de reação você pode esperar das suas emoções quando começa a agir usando o perdão para consigo mesmo e para com os outros? Deus está pronto para perdoá-lo e está disposto a perdoá-lo, mas será que *você* está igualmente pronto e disposto a receber o Seu perdão? As suas emoções podem ficar no meio do caminho. Talvez você não se "sinta" digno de um presente tão maravilhoso e imerecido de Deus. Você pode "sentir" que de alguma maneira precisa pagar pelo que fez de errado. Você "sente" que precisa sacrificar-se de algum modo a fim de pagar pelos seus pecados. Se realmente se sente assim, entendo-o totalmente e posso até dizer que é muito normal, mas também devo dizer que esta não é a vontade de Deus para você.

Persegui a mim mesma durante muitos anos tentando pagar uma dívida que Jesus já pagara. Sacrifiquei minha alegria recusando me permitir desfrutar de qualquer coisa por causa dos meus sentimentos de culpa. Felizmente, finalmente entendi por intermédio da Palavra de Deus que não posso pagar uma dívida que já foi paga, e a única coisa que posso fazer com um presente gratuito é recebê-lo ou rejeitá-lo. O dom do perdão de Deus é gratuito, e devemos recebê-lo como um ato de fé.

Devemos perdoar aos outros liberalmente assim como fomos liberalmente perdoados. O perdão é um dom e não pode ser merecido. Como alguém pode desfazer o que feriu ou magoou você? Meu pai roubou a minha inocência por meio do abuso sexual. Como ele poderia pagar-me ou desfazer o que fez? A única maneira de eu ser livre era perdoá-lo e confiar em Deus para me restaurar. Embora fosse uma das coisas mais difíceis que fiz em toda minha vida, foi útil lembrar que Deus me perdoa continuamente e nunca usa nenhum dos meus pecados para me acusar.

Suportem-se uns aos outros e perdoem as queixas que tiverem uns contra os outros. Perdoem como o Senhor lhes perdoou.

Colossenses 3:13

Qual foi a coisa mais difícil que você já foi desafiado a perdoar? Algum amigo o traiu? Foi tão ferido pelo seu cônjuge que o seu casamento não conseguiu sobreviver e terminou em divórcio? Seu filho foi ingrato ou não lhe demonstrou amor?

Capítulo 16

Quero lhe contar sobre uma mulher cuja mágoa mal pode ser medida. Em janeiro de 1990, Sue Norton recebeu a terrível notícia de que sua mãe e seu pai foram encontrados assassinados na sua casa em Oklahoma. O assassino fugiu com um velho caminhão e 17 mil dólares em dinheiro.

Enquanto ela participava do julgamento por assassinato de Robert B. K. Knighton, ela podia sentir o ódio no ar enquanto a família e os amigos de seus pais lotavam a corte. No último dia do julgamento, Sue soube que aquele ódio não iria curá-la da terrível perda que sofrera. Naquela noite, ela não conseguiu dormir, e passou a noite orando para que Deus a ajudasse. Na manhã seguinte, teve este pensamento: *Sue, você não tem de odiar Robert B. K. Você poderia perdoá-lo. Perdoá-lo?*

Naquela manhã, enquanto o júri deliberava, Sue conseguiu permissão para visitar B. K. na cela do tribunal. Ela lembra que, quando o viu, não pensou nele como um assassino. Ela pensou nele como um ser humano. Ela disse ao homem grande com olhos de aço: "Não sei o que dizer, mas quero que saiba que não o odeio. Minha avó... ensinou-me que estamos aqui para amarmos uns aos outros. Se você for culpado, eu o perdoo."

Em princípio, o homem pensou que ela estivesse fazendo uma espécie de jogo mental com ele. Ele não podia avaliar que alguém pudesse perdoá-lo por crime tão hediondo. Hoje, Robert Knighton vive no corredor da morte em Oklahoma. Sue escreve para ele com frequência, e visita-o ocasionalmente. Por causa do amor e da amizade dela, ele se tornou um cristão devoto.

Os amigos acham que ela ficou louca. Mas Sue diz: "Não há como ser curado e superar o trauma sem o perdão. Você precisa perdoar e seguir em frente com a sua vida. É isto que Jesus faria."

A Bíblia deixa muito claro que Deus espera que perdoemos pronta e liberalmente. Mas as nossas emoções inflamam-se e resistem com determinação a que tomemos essa decisão. Há alguma coisa que pode nos ajudar a superar as emoções e obedecer a Deus nessa área?

Três Coisas Que me Ajudam a Perdoar

A primeira coisa que realmente me ajuda a perdoar é lembrar-me de que *Deus me perdoa por muito mais do que eu jamais terei de perdoar a outros*. Podemos não fazer o que outros nos fizeram, mas podemos fazer coisas piores. No Reino de Deus o pecado não vem em tamanhos como pequeno, médio e grande; pecado é apenas pecado! Alguns pecados deixam uma devastação maior que outros, mas Deus perdoa a todos eles. Algumas coisas que as pessoas fazem nos magoam mais do que outras, mas a resposta é a mesma para lidar com todas elas. Faça um favor a si mesmo e perdoe rapidamente e liberalmente. Quanto mais você guardar rancor, tanto mais difícil será esquecer.

> *Deus me perdoa por muito mais do que eu jamais terei de perdoar a outros.*

A segunda coisa que me ajuda a perdoar é pensar na misericórdia de Deus. A misericórdia é o dom mais lindo que podemos dar ou receber. Ela não pode ser conquistada nem merecida — do contrário, não seria misericórdia. Gosto de pensar na misericórdia como olhar além *do que* foi feito de errado e enxergar o motivo *pelo qual* foi feito. Muitas vezes, as pessoas fazem algo que nos fere e nem sequer sabem por que estão fazendo isso, ou talvez não percebam o que estão fazendo. Algumas vezes, estão reagindo à própria dor sem perceber que estão ferindo outros. Fui tão ferida na minha infância que, por minha vez, eu frequentemente feria os outros com minhas palavras e atitudes ásperas. Mas eu nem sequer percebia que estava sendo áspera, porque a vida fora tão dura e dolorosa comigo que a aspereza se tornou parte de mim. Aquele era simplesmente o meu modo de ser. Foi fácil para Deus demonstrar misericórdia para comigo, pois Ele via por que eu fazia o que fazia. Ele viu a garotinha ferida que havia se endurecido como uma maneira de proteger-se contra mais dor.

Uma coisa que me ajuda a perdoar é quando entendo que "pessoas feridas ferem pessoas". Quando estou tentando sobreviver à

Capítulo 16

minha dor, costumo falar comigo mesma. Lembro-me de acreditar no melhor de todas as pessoas. Penso: *Duvido que a pessoa que me magoou tenha feito isso de propósito.* Então, lembro-me de que existe um motivo pelo qual elas fizeram o que fizeram. Talvez ninguém nunca saiba qual foi o motivo exceto Deus, mas sempre há um motivo. Às vezes, o motivo é simplesmente o fato de que a pessoa que nos feriu não conhece a Deus, ou não sabe como clamar pelo Seu poder para ajudá-la a resistir à tentação. Na verdade, pensar nesses diversos cenários ajuda minhas emoções a se acalmarem e torna mais fácil perdoar.

A terceira coisa que me ajuda a perdoar aos outros é lembrar que se ficar irada, estarei dando a Satanás uma base de apoio em minha vida (ver Efésios 4:26-27). Quando perdoo, estou impedindo que Satanás tenha vantagem sobre mim (ver 2 Coríntios 2:10-11). Na verdade, uma das coisas mais valiosas que aprendi é que me faço um favor quando perdoo. Se eu não perdoar, estou envenenando a minha alma com amargura, e essa amargura se refletirá na forma de alguma espécie de mau comportamento ou atitude.

> *Se ficar irada, estarei dando a Satanás uma base de apoio em minha vida.*

A raiz de amargura contamina e polui não apenas aquele que está amargurado, mas outros que o cercam também.

 Cuidem que ninguém se exclua da graça de Deus; que nenhuma raiz de amargura brote e cause perturbação, contaminando muitos.

Hebreus 12:15

Amargura e Cativeiro

Quando os filhos de Israel estavam para ser tirados do Egito, o Senhor lhes disse na véspera da sua partida para prepararem uma refeição de Páscoa que incluía ervas amargas. Por quê? Deus queria que eles comessem aquelas ervas amargas como um lembrete da amargura que experimentaram no cativeiro. A amargura é própria do cativeiro! Se quisermos evitar o cativeiro, precisamos evitar a amargura.

A palavra *amargura* é usada para se referir a alguma coisa pungente ou picante ao paladar. Dizem que as ervas amargas que os israelitas comeram provavelmente eram semelhantes ao rábano silvestre, também conhecido como raiz-forte. Se você já deu uma grande mordida em um rábano silvestre, sabe que ele pode causar uma forte reação física. A amargura causa precisamente o mesmo tipo de reação em nós espiritualmente. Não apenas nos gera desconforto, como também causa desconforto ao Espírito Santo, que habita dentro de nós.

A Bíblia nos ensina a não entristecermos o Espírito Santo deixando que a amargura, a indignação e a ira permaneçam em nós. Devemos bani-la de nós! (Ver Efésios 4:30-31.)

Como a amargura começa? De acordo com a Bíblia, ela cresce a partir de uma raiz. A Bíblia fala de uma "... raiz de amargura" (Hebreus 12:15). Raízes sempre geram frutos e, neste caso, o fruto é venenoso.

Qual é a semente de onde essa raiz brota? A falta de perdão! A amargura resulta das muitas ofensas menores cometidas contra nós que simplesmente não esquecemos, das coisas que ficamos lembrando sem parar até que elas cresçam em uma medida desproporcional atingindo um tamanho que causa muitos problemas.

Lembro-me de ocasiões em que Dave e eu discutimos nos primeiros anos de nosso casamento, e em vez de lidarmos com o assunto em questão, eu levantava muitos outros problemas. Alguns deles eram coisas que aconteceram havia anos. Dave me perguntava onde eu armazenava todas aquelas informações! Ele é uma pessoa tão positiva e perdoadora que não conseguia imaginar que eu retivesse cada ofensa que ele um dia cometera contra mim.

Até aprender uma maneira melhor e mais sábia de viver, eu deixei que todas aquelas pequenas coisas se acumulassem dentro de mim, apenas esperando a hora em que poderia descarregá-las e usá-las como munição. Um homem de Deus maravilhoso me fora dado, mas eu não sabia como apreciar o presente que Ele me dera porque guardava pequenas ofensas e me recusava a deixá-las para trás.

Além de todas as coisas menores que podemos permitir que tomem uma proporção enorme, existem, às vezes, ofensas maiores que foram cometidas contra nós. Quanto mais permitirmos que a nossa amargura e ressentimento cresçam e infeccionem, tanto mais se tornarão um problema e tanto mais difícil será livrar-nos deles. Felizmente, a esta altura você já deve ter percebido que é óbvio que a melhor coisa a fazer com relação a qualquer ofensa, grande ou pequena, é perdoar rápida e completamente.

Ser ofendido não é nada a não ser que você continue a se lembrar disso.
Confúcio

Aquilo Que Não Alimentamos Enfraquece e Morre

Mencionei que quanto mais alimentamos uma emoção negativa, tanto mais forte ela se torna; quanto menos a alimentamos, tanto mais fraca ela se torna. Podemos alimentar sentimentos de falta de perdão simplesmente meditando e falando sobre o que a pessoa fez para nos ferir. Se você quer perdoar a alguém, precisa assumir o compromisso de parar de concentrar-se no que lhe foi feito. Uma maneira de alimentarmos a amargura é dizer aos outros para que eles fiquem com pena de nós, mas é perigoso fazer isso, principalmente se continuarmos fazendo isso incessantemente. Algumas vezes, é saudável expressar o que sentimos com relação a alguma coisa que foi dolorosa para nós. Como eu disse neste livro, os segredos podem nos deixar doentes. Não estou sugerindo que precisamos viver vidas solitárias, não compartilhando nunca a nossa dor com alguém, mas se fixar em algo continuamente é muito diferente de compartilhar de uma maneira saudável. Aprendi que uma vez tomada a decisão de perdoar — de deixar a ofensa para trás e esquecê-la — preciso parar de falar sobre ela desnecessariamente. Quanto mais presto atenção na ofensa, tanto mais a torno forte. Mas se ignorá-la, então será mais fácil superá-la emocionalmente.

> *Aprendi que uma vez tomada a decisão de perdoar — de deixar a ofensa para trás e esquecê-la — preciso parar de falar sobre ela desnecessariamente.*

Todos nós queremos justiça quando somos feridos, e geralmente é difícil ser paciente enquanto Deus nos faz justiça. Somos tentados a nos vingarmos em vez de nos lembrarmos de que Deus disse que a vingança pertence a Ele e não a nós.

 Pois conhecemos aquele que disse:"A mim pertence a vingança; eu retribuirei" e outra vez:"O Senhor julgará o seu povo".
Hebreus 10:30

Os Piores Planos

Houve momentos em que me surpreendi planejando o que faria para vingar-me de alguém que me machucou. Também fui culpada por pensar nas coisas boas que fizera por aquela pessoa e que não farei mais. Ou eu magoaria a pessoa, ou reteria as bênçãos que poderia fazer por ela, e nenhum desses planos demonstra o caráter de Jesus.

Certa noite, estava deitada na cama após ouvir falar que uma determinada pessoa que era nossa sócia nos negócios estava dizendo coisas pouco gentis e críticas a meu respeito, e quanto mais eu pensava no que diria a ela, tanto mais irritada eu ficava. Minhas emoções estavam tão agitadas que não conseguia dormir.

Enquanto continuava com meus pensamentos de desamor e falta de compaixão, totalmente distantes do caráter de Deus, senti um "cutucão" do Espírito Santo. Ele me disse que tinha um plano melhor. Ele sugeriu que eu esquecesse as palavras pouco gentis que foram ditas sobre mim e, em vez disso, enviasse um presente à pessoa que as proferiu e lhe dissesse o quanto eu a apreciava. O simples pensamento de fazer isso me fez rir, e imediatamente vi que os caminhos de Deus nos dão alegria, ao passo que os nossos geralmente nos fazem infelizes.

Assim que mudei de ideia e aceitei o plano de Deus, já não senti mais a raiva que sentira. Eu ainda estava ferida e minhas emoções estavam feridas, mas pensar em fazer as coisas do jeito de Deus permitia que eu tomasse uma decisão com base na Sua Palavra em vez de baseada nos meus sentimentos. Fiquei deitada na cama pensando no presente que eu daria à pessoa e no que escreveria no bilhete que o acompanharia. Assim que abrimos o escritório na manhã seguinte, pedi à minha assistente para encomendar o presente. E adivinhe o que aconteceu: senti um alívio instantâneo daquela agonia que eu sentira na noite anterior! Quando vi a pessoa depois daquilo, ainda senti uma dor aguda, mas foi pequena se comparada ao que poderia ter sido.

A pessoa que falou de maneira pouco gentil a meu respeito nunca soube que eu tomei conhecimento disso, mas Deus sabia, e Ele é Aquele que nos recompensa pelas injustiças que acontecem em nossas vidas.

As Emoções Seguem as Nossas Decisões

A nossa responsabilidade é tomar decisões corretas com base na Palavra de Deus e o trabalho dele é curar as nossas emoções. Geralmente queremos nos sentir bem primeiro, mas Deus quer que antes façamos o que é certo, independentemente de como nos sentimos. Quando fazemos isso, estamos crescendo espiritualmente e desfrutaremos mais estabilidade emocional na próxima vez que enfrentarmos uma situação difícil. Quando tomarmos a decisão de perdoar, provavelmente não sentiremos vontade de perdoar. Afinal, fomos tratados injustamente, e isso dói. Mas fazer a coisa certa

A nossa responsabilidade é tomar decisões corretas com base na Palavra de Deus e o trabalho dele é curar as nossas emoções.

enquanto nos sentimos injustiçados é extremamente importante para o nosso crescimento espiritual geral. Isso glorifica a Deus.

Durante muitos anos, tentei perdoar as pessoas quando me magoaram ou ofenderam, mas como eu ainda tinha sentimentos negativos com relação a elas, suponho que eu não tive êxito na jornada do perdão. Agora entendo que independentemente de como eu me sinta, se continuar orando pela pessoa que me magoou e abençoá-la em vez de amaldiçoá-la, estou a caminho da libertação das emoções destrutivas. Amaldiçoar significa falar mal de alguém, e abençoar significa falar bem de alguém. Quando alguém nos magoou podemos nos recusar a falar mal dessa pessoa, ainda que sejamos tentados a fazer isso. Também podemos abençoá-la falando sobre suas boas qualidades e acerca das coisas boas que ela fez. Se olharmos apenas para os erros que as pessoas cometem, não conseguiremos gostar delas. Mas olhar para a totalidade de quem as pessoas são nos proporciona um quadro mais equilibrado delas.

Nada que disse impedirá que você sinta a dor emocional quando alguém o machucar, mas pode ajudar no processo do perdão. Estes métodos me ajudaram e, realmente, acredito que o ajudarão.

Você não pode esperar até que se sinta cordial e amoroso para com alguém que o feriu para perdoá-lo. Você provavelmente terá de fazer isso enquanto ainda está sofrendo e perdoar é a última coisa que tem vontade de fazer, mas fazê-lo coloca você no time de Deus. O perdão o coloca diretamente na estrada "estreita" (contraída pela pressão), mas que leva ao caminho da vida (Mateus 7:14). Ele o coloca na estrada que é menos frequentada, a estrada onde o próprio Jesus viajava. Não esqueça que uma das últimas coisas que Ele fez foi per-

Capítulo 16

doar a alguém que não merecia perdão, e que Ele fez isso enquanto estava pendurado em uma cruz sendo crucificado. Creio que algumas das últimas coisas que Jesus fez tiveram o propósito especificamente de nos ajudar a lembrar o quanto essas coisas são importantes.

Se alguém o ferir, chore um rio, e depois construa uma ponte e passe por cima dele.
Autor desconhecido

E se Eu Decidir Que É Difícil Demais?

Muitas pessoas decidem que perdoar àqueles que as feriram é difícil demais e, realmente, perdoar é difícil! Mas quando tomam a decisão de não perdoar, estão cometendo um dos erros mais graves que podem cometer. Por que isso é tão sério? Porque a nossa intimidade com Deus é impedida se não perdoarmos aqueles que pecaram contra nós.

A Bíblia diz claramente que se não perdoarmos aos outros, Deus não nos perdoará os nossos pecados e iniquidades (ver Mateus 6:14-15). Se o nosso pecado ficar entre Deus e nós, então acharemos difícil ouvir a voz de Deus e sentir a Sua presença. Creio firmemente que abrigar sentimentos de falta de perdão tira o nosso sono, a nossa paz e a nossa alegria. Afeta a nossa saúde e o nosso bem-estar geral. Mostre-me alguém que não tem um espírito perdoador, e eu lhe mostrarei alguém perto de quem poucas pessoas querem estar.

Algumas vezes, abrigamos o ressentimento por tanto tempo que nem sequer percebemos que o temos. Ele se torna parte de nós — e isto é realmente perigoso.

Lembro-me de pensar em certo momento que não tinha nenhuma falta de perdão em meu coração, mas Deus me mostrou duas coisas específicas que me surpreenderam: eu estava irada com uma das amigas de minha filha porque não gostava da maneira que ela tratava minha filha, e também com meu filho porque não era o que eu queria que ele fosse naquela época.

Você já sentiu raiva de alguém a quem ama porque as escolhas que ele fez na vida o decepcionaram ou não atendiam às suas expectativas? Estou certa que sim, porque esta é uma das armadilhas mais sutis de Satanás. Não ficamos irados com alguma coisa que a pessoa nos fez, mas com uma coisa que ela não fez. Reprovamos as escolhas dela, embora Deus tenha lhe dado o direito de fazer essas escolhas. Podemos tentar encorajar aqueles a quem amamos e com quem nos importamos, mas não devemos querer controlá-los. Deus nos diz para treinarmos os nossos filhos no caminho que eles devem seguir, e não no caminho que queremos que sigam (ver Provérbios 22:6).

Bárbara tinha cinco filhos a quem amava muito. Todos estavam crescidos e todos, menos um, tinham seus próprios filhos. Embora Bárbara fosse uma cristã com capacidade de discernimento, tinha dificuldade em deixar seus filhos fazerem as próprias escolhas. Seu comportamento costumava causar discussões entre ela e seus filhos. Eles se sentiam controlados e manipulados, mas ela insistia que estava apenas tentando ajudá-los. A raiva deles feria os sentimentos de Bárbara, e o comportamento de Bárbara os deixava furiosos. O resultado era um círculo vicioso que deixava a todos infelizes. Bárbara não percebia isto, mas na verdade ela se comportava da mesma maneira com a maioria das pessoas que conhecia. O resultado era que as pessoas começavam a evitá-la.

Bárbara frequentava a igreja e um grupo de estudo bíblico, mas infelizmente nunca parava de fazer comentários mordazes sobre as escolhas e decisões das outras pessoas. Ela era o tipo de cristã descrito como "carnal", que mencionei anteriormente neste livro. Ela acreditava em Deus, mas nunca parava de fazer o que sentia vontade. Infelizmente, ela acabou tendo poucos amigos, um marido que a deixou por outra mulher, e filhos que a evitavam sempre que possível. A raiz do problema dela era o orgulho. Ela acreditava que a sua maneira era certa para todos e que ela estava apenas procurando ajudar as pessoas, embora elas, na verdade, não quisessem a ajuda dela.

Eu estava irada com meu filho porque ele não era tão espiritual quanto eu queria que fosse, mas estava errada, e com a ajuda de Deus encontrei a força para dizer isso a ele. A humildade que Deus me permitiu demonstrar ao dizer "Eu estava errada", e a decisão de aceitá-lo incondicionalmente como ele era, iniciaram um processo de cura em sua vida que finalmente o ajudou a tomar as decisões certas e a tomar o caminho certo. Antes desse momento, ele podia sentir apenas a minha reprovação, e tudo que fiz foi cavar o abismo que nos separava cada vez mais fundo.

Descobri que algumas vezes quando sou magoada, não é por causa de algo que outra pessoa fez para me ferir; é porque tive uma expectativa que não deveria ter tido. É claro que existem coisas que temos o direito de esperar no nosso relacionamento com outras pessoas, mas precisamos assegurar que as nossas expectativas sejam realistas e que elas ainda deem às pessoas a liberdade de serem elas mesmas.

É Hora de Tomar uma Decisão

Nada muda em nossas vidas até que tomemos a decisão de agir com base na informação que temos. Veja algumas decisões que você pode tomar que o capacitarão a viver livre da agonia da amargura, do ressentimento e da falta de perdão:

1. Acredite no melhor de cada pessoa. Dê-lhes o benefício da dúvida.
2. Imite Jesus demonstrando misericórdia pelas pessoas.
3. Entenda que pessoas feridas ferem pessoas, e ore por aqueles que o magoaram.
4. Não deixe que as suas emoções dominem as suas decisões.
5. Lembre-se de que se fizer as escolhas certas, as suas emoções finalmente se alinharão com as suas decisões.
6. Você tem o poder de Deus para capacitá-lo a fazer coisas difíceis.

7. Recusar-se a perdoar é como tomar veneno e esperar que ele livre você do seu inimigo.
8. Deus espera que ofereçamos aos outros o que recebemos dele liberalmente — inclusive o perdão.
9. Perdoar = liberdade. Não se torne o seu próprio carcereiro!
10. Não desperdice nem mais um dia ficando amargo. Cada dia é um presente de Deus — use-o com sabedoria.

Creio que Satanás usa a falta de perdão para gerar destruição em nossas vidas. Deus nos diz incessantemente na Sua Palavra o quanto é importante perdoar. Creio que é tolice desobedecer a Deus nesta área. Planejo trabalhar com o Espírito Santo todos os dias da minha vida para resistir à tentação de permitir que minhas emoções me impeçam de perdoar àqueles que me ferem ou decepcionam. Não permitirei que Satanás controle o meu destino! Oro para que você tome a mesma decisão.

Decisão e confissão: *Vou perdoar rápida e liberalmente àqueles que me ferirem. Recuso-me a arruinar minha vida com a amargura.*

Capítulo 17

Como as Emoções Afetam a Nossa Saúde

Milhões de pessoas simplesmente não cuidam bem de si mesmas. Elas investem em tudo que é imaginável, exceto nelas mesmas. Creio que Deus nos dá certa quantidade de energia para as nossas vidas, e se usarmos toda ela nos primeiros quarenta anos, provavelmente teremos muitos problemas mais tarde. Em *Pareça Maravilhosa, Sinta-se Maravilhosa*, conto aos leitores minha jornada durante uma época em que fazia tudo errado em minha vida, na esperança de poder ajudar outros a evitarem os erros que cometi.

O estresse excessivo por longo período atinge negativamente a nossa saúde e as nossas emoções. Ouvimos inúmeras vezes como precisamos eliminar o estresse desnecessário de nossas vidas, mas a maioria das pessoas nunca faz isso até ter uma crise em sua saúde.

Quando não me sinto bem, vejo que é muito mais difícil manter-me estável emocionalmente. Recentemente, voltei de uma conferência que foi o encerramento de três semanas de viagem e trabalho árduo. Eu estava muito cansada, mas queria ver todos os meus filhos, então os convidamos com suas famílias para nos encontrarem para o jantar assim que voltamos para casa. Doze deles puderam vir, e embora me reunir com eles parecesse uma grande ideia no início, aquilo acabou sendo a gota d'água que transbordou o balde.

O restaurante estava muito barulhento, por isso falávamos alto para nos ouvirmos — o que não era nada relaxante. Então alguém trouxe à baila uma situação que causara muitos problemas em nossas vidas. Você provavelmente sabe o que quero dizer quando digo que *eu não queria ouvir nada mais sobre aquilo, principalmente quando estava tão cansada.* Quanto mais eles discutiam o assunto, mais emocionalmente abalada eu me sentia. Pensei: *Se eles não se calarem, vou gritar!* Em um dia como outro qualquer, nada disso teria me incomodado, mas por eu estar tão cansada, qualquer coisa que até mesmo parecesse remotamente negativa ou triste era mais do que eu podia suportar. *Eu queria ouvir coisas alegres!*

Meus dois filhos estavam mexendo comigo, como costumam fazer, e geralmente nos divertimos muito com isso. Mas por estar cansada, a maior parte do que disseram me pareceu um insulto. Fiquei ofendida, embora eles não estivessem querendo me ofender, simplesmente porque eu estava exausta.

Naquele dia específico eu *queria* que todos em minha família me fizessem elogios, que dissessem como eles apreciavam todo o meu trabalho árduo, o quanto eles me amavam, e que talvez até pagassem o meu jantar. Mas nada disso aconteceu, e quando saí eu me sentia esgotada, como um copo cheio transbordando. Meus pensamentos estavam no esgoto e minhas emoções resolveram visitar a sala de estar da autopiedade, onde vivi um dia.

Foi claramente uma daquelas situações em que as minhas expectativas causaram o problema. Eu tinha uma expectativa que minha família nem sequer sabia que eu tinha, e quando não a atenderam, fiquei emocionalmente abalada. Felizmente, pude sair do restaurante antes que meus filhos percebessem que eu estava piorando rapidamente.

Poderia ter evitado toda aquela cena simplesmente tendo um jantar rápido e tranquilo com Dave. Mas deixei que o inimigo entrasse por meio da falta de sabedoria, e todo o descanso daquela

Capítulo 17

noite e até a maior parte do dia seguinte foi um jogo no qual tentei manter as minhas emoções sob controle, e devo dizer que não tive êxito total. Certamente, estou feliz porque a Bíblia diz que temos um Sumo Sacerdote (Jesus) que nos entende porque Ele foi tentado em todos os aspectos assim como nós, mas Ele nunca pecou. Ele tinha o controle total das Suas emoções, mas ainda assim Ele nos entende; portanto, podemos nos aproximar com ousadia do Seu trono da graça e receber a ajuda de que precisamos, embora nos portemos de uma maneira menos que perfeita (ver Hebreus 4:15-16).

Chegamos em casa após o fiasco do jantar, e trinta minutos depois nossa eletricidade foi cortada devido a uma tempestade. Ficamos no escuro durante o restante da noite, iluminados apenas pela luz de velas. O meu plano de descanso e relaxamento, assistindo a um bom filme, fracassava diante dos meus olhos e não havia nada que eu pudesse fazer a respeito. Como jantáramos bem cedo, acabei indo para a cama às 6 da tarde, o que não foi muito empolgante depois de ter trabalhado o fim de semana inteiro.

Acordei na manhã seguinte me sentindo triste, chorosa, com pena de mim mesma, e passei o meu tempo com Deus chorando e lamentando os meus "ais". Eu parava em intervalos regulares para dizer a Deus que sabia o quanto era abençoada e que estava agindo de forma ridícula, mas estava tão cansada que não tinha sequer energia para resistir. Sugiro que pare por um instante e pense em como você se sente, fala e se comporta quando está extremamente cansado, ou doente. Se não encararmos a verdade sobre como está o nosso comportamento e a nossa maturidade espiritual, poderemos nunca chegar onde precisamos estar!

Sabia que precisava de tranquilidade, descanso e de uma boa refeição quente. Eu também precisava de um biscoito e de um par de sapatos novos! (Se você não tem ideia do motivo pelo qual eu disse isto, precisa ler o meu livro *Coma o Biscoito, Compre os Sapatos*, que fala como precisamos fazer um investimento em nós mesmos e nos recompensar pelos nossos sucessos na vida.)

Eu havia acabado de concluir com êxito três semanas de trabalho árduo e precisava comemorar. Todos queremos ser recompensados pelo nosso trabalho árduo, e é muito sábio fazer por si mesmo alguma coisa de que você goste, como parte da sua estratégia de restauração. Quando Dave está cansado, ele gosta de jogar golfe ou de assistir a um jogo de beisebol, e fazer isso realmente o faz recuperar a energia. Descansar, fazer uma boa refeição, comer uma sobremesa e assistir a um bom filme é o que eu preciso.

Uma das coisas mais importantes que necessito fazer depois de uma programação agitada com toneladas de pessoas à minha volta o tempo todo é simplesmente ficar tranquila. Eu não precisava planejar outra festa em um restaurante barulhento com muitas pessoas no instante em que voltei para casa. A culpa foi minha e de mais ninguém. Tenho suficiente experiência para saber o que é melhor, mas saber o que devemos fazer é uma coisa e aplicar o que sabemos é outra bem diferente.

Você Está Ignorando os Avisos?

Creio que Deus projetou o nosso corpo de tal maneira que ele costuma nos avisar quando alguma coisa está indo mal antes que as coisas fiquem realmente ruins. O aviso é a nossa oportunidade de tomar uma atitude positiva e impedir uma crise de maiores proporções. Se você tem filhos, provavelmente já disse mil vezes: "Estou avisando vocês, se continuarem a fazer isto, vão se meter em uma grande encrenca." Estamos dando a eles uma oportunidade de mudar antes que tenham de sofrer.

Creio que o nosso corpo foi construído de uma maneira tão maravilhosa que ele nos dá a mesma oportunidade. Você já sentiu dor em uma região, como o pescoço, costas ou ombro, e deixou para lá até que de repente teve um problema mais sério? Sei que isto aconteceu comigo, e fiz exatamente isso (deixei para lá) mais de

Capítulo 17

uma vez. Também observei as pessoas fazerem isso vezes seguidas. Se você se ouvir ou ouvir alguém a quem ama falando regularmente sobre uma região do corpo que dói, este é um sinal de aviso de que alguma coisa precisa ser verificada.

Durante anos, meus pés doíam depois das minhas conferências. Às vezes, a dor era tanta que eu queria chorar. Eu os esfregava, os molhava e usava uma série de pomadas refrescantes. Então me levantava na manhã seguinte, colocava saltos altos e atormentava meus pés novamente durante o dia inteiro. Usei saltos altos por muitos anos. Amo sapatos bonitos, então optei pela beleza em vez do conforto. Isto não foi sábio, e finalmente paguei o preço. Defino *sabedoria* como "fazer agora o que o deixará satisfeito mais tarde". Fiz o que gostava naquele tempo e sofri por isso mais tarde. Além do mais, fiz isso por anos e finalmente desenvolvi joanetes e calos que exigiram cirurgia.

Meus pés melhoraram e comecei a usar sapatos com saltos mais baixos, mas apenas um pouco mais baixos. Isto ajudou, mas minhas costas começaram a dar problemas. Então ignorei isso — até acordar uma manhã e não conseguir andar sem ajuda. Naquele dia, comecei a me consultar com um quiroprático e o tenho visitado regularmente desde então. Finalmente comecei um programa de ginástica e exercícios com um treinador para que não me machucasse ainda mais, e isso me ajudou muito. Mas durante os anos em que ignorei a dor nas costas, prejudiquei-me sistematicamente. Meu corpo estava me avisando para fazer alguma coisa *imediatamente*, mas eu fui adiando.

A esta altura, você deve estar pensando: *Joyce, você não é muito esperta*. Antes de julgar-me, deixe-me perguntar o que você está ignorando. Você sente-se cansado o tempo todo? Sente dor na cabeça, no pescoço, nos ombros, nas costas, nos quadris, nos joelhos ou nos pés e a única atitude que está tomando é reclamar? A sua pressão está alta, mas não faz nada para diminuir o seu estresse? A sua glicose está alta, mas continua comendo muitos doces?

Quando o marcador de gasolina diz que seu carro está com pouco combustível, você não ignora o fato. E se fizer isso, acabará no acostamento sem gasolina e sem transporte. Se o marcador de óleo diz que o seu carro está com pouco óleo, você coloca óleo nele. Meu carro tem um "cérebro". É uma espécie de computador sofisticado que faz muitas coisas com as quais eu não me importaria. Há duas semanas, ele ficou maluco e acredite-me, prestei atenção nele rapidamente. Recebi todo tipo de mensagens nos dispositivos do painel que pareciam realmente apavorantes. Na verdade, recusei-me a dirigi-lo mais um quilômetro até ele ser consertado porque eu não iria arriscar-me a ficar parada em algum lugar com o carro quebrado. Se respeitarmos os avisos que recebemos do nosso corpo como respeitamos os avisos do nosso carro, seremos muito mais saudáveis.

Se você não se sente bem, há uma possibilidade de que esteja nervoso, que se ofenda com facilidade e dê desculpas para o seu mau comportamento dizendo "Não estou me sentindo bem". Pergunte a si mesmo: *Existe alguma coisa que eu possa fazer para mudar esta situação ou pelo menos ajudar a melhorá-la?* Creio que se fizermos o que podemos fazer, podemos pedir a Deus para fazer o que não podemos. Quando estamos doentes, oramos e pedimos ajuda e cura a Deus, mas estamos fazendo o que podemos fazer para ajudar a nos mantermos saudáveis? Às vezes, quando pedimos ajuda a Deus, Ele procura nos mostrar algo que fazemos que está causando os nossos problemas, mas não queremos mudar nada — só queremos que a dor ou a exaustão desapareçam. A sabedoria diz que, se precisarmos de uma mudança, não a alcançaremos continuando a fazer as mesmas coisas de sempre.

É impressionante o quanto você poderia sentir-se melhor se fizesse algumas coisas simples como alimentar-se de forma mais saudável, beber muita água, descansar da maneira adequada, equilibrar o seu trabalho com descanso, e rir, rir, rir muito.

Capítulo 17

A Dieta da Felicidade

Cientificamente, está provado que o riso melhora a nossa saúde, e se ele melhora a nossa saúde, o nosso humor será melhor.

> O coração alegre serve de bom remédio; mas o espírito abatido seca os ossos.
>
> Provérbios 17:22, AA

Você sabia que são necessários muitos mais músculos para franzir a testa do que para sorrir? Um *site* da internet diz que são necessários quatro músculos para sorrir e 64 para franzir a testa. Creio que vou economizar energia muscular e começar a sorrir mais! Quando rimos, isso estimula as partes do nosso cérebro que utilizam o elemento químico que faz com que nos "sintamos bem", que é a dopamina. O sistema imunológico é acionado, e parece que o riso auxilia até os diabéticos a manter os níveis de glicose sob controle.

Os pesquisadores da Universidade de Maryland descobriram que, quando rimos, o revestimento interno dos nossos vasos sanguíneos se expande e são produzidos elementos químicos "bons" que reduzem a coagulação e a inflamação. Quando os vasos sanguíneos se contraem, os hormônios do estresse (cortisol) são liberados. Uma boa risada estica todos os seus músculos durante segundos ou minutos de uma só vez, e os seus batimentos cardíacos e a sua pressão sanguínea subirão enquanto ri e depois cairão abaixo da sua base inicial, assim como acontece com os exercícios. Ouvi dizer que o riso equivale a um *jogging* interno.

As pessoas mais felizes em sua vida diária possuem níveis mais saudáveis de elementos químicos que as infelizes. Um estudo na Inglaterra demonstrou que quanto mais as pessoas são felizes, tanto mais baixos são os níveis de cortisol delas, e o cortisol está ligado ao diabetes e às doenças cardíacas. Um estudo da Universidade Carnegie Mellon confirmou que as pessoas felizes, vigorosas, calmas ou que exibem outras emoções positivas, têm menos probabilidade de ficarem doentes quando expostas ao vírus da gripe do que aquelas que relatam menos destas emoções.

A pesquisa afirma que o riso aumenta a boa saúde, e creio que estas duas coisas nos ajudam a ser mais estáveis emocionalmente. Então, por que não rir, rir e rir um pouco mais?!

Dave desfrutou de uma saúde extremamente boa nos seus setenta anos de vida, e ele se exercitou por cinquenta anos e tem um talento especial para gostar de tudo. Percebi esta manhã que na primeira hora depois que levantamos, ele encontrou motivos de riso em pelo menos dez coisas. Coisas simples das quais as pessoas mais tensas não achariam a mínima graça, mas Dave achou. A brincadeira dele me fez rir, e isto é bom para mim porque sou uma pessoa mais séria — principalmente quando tenho trabalho a fazer.

Experimente! Você pode até fazer disso uma brincadeira, para ver com que frequência consegue rir em um dia e creio que isso ajudará a aliviar a tensão, o que por sua vez auxiliará a sua saúde e as suas emoções de um modo geral. Você é uma pessoa tensa que se estressa por coisas que não fariam nenhuma diferença para você se soubesse que este era o seu último dia na terra? Se eu tivesse apenas um dia para viver, certamente iria querer desfrutá-lo. E você?

É muito provável que alguns dos meus leitores estejam pensando: *Joyce, eu simplesmente não tenho nenhum motivo para rir. Minha vida está um caos e para todos os lados que olho há problemas.* Isto pode ser verdade, mas creio que podemos encontrar um pouco de humor em quase tudo se estivermos decididos a fazer isso. Entendo que acontecem coisas trágicas, como doenças terminais ou a morte de um ente querido, e não estou sugerindo que existe algo de divertido nestas coisas.

A Bíblia diz que há tempo para rir e tempo para chorar (ver Eclesiastes 3:4). Querer ser engraçado na hora errada pode ferir as pessoas que já estão sofrendo. Entretanto, sugiro firmemente que todos nós encontremos tanto humor quanto possível em tudo que pudermos, com tanta frequência quanto possível. Se fizermos isso, então os momentos mais difíceis e trágicos da vida serão mais fáceis de suportar. Não rimos dos nossos problemas, mas *apesar deles*. A Bíblia diz que a alegria do Senhor é a nossa força (ver Neemias 8:10), e faríamos bem se nos lembrássemos disso.

Alegria, moderação e repouso fecham a porta no nariz do médico.

Henry Wadsworth Longfellow

Controlando as Emoções Quando Você Está Doente

Definitivamente, é mais difícil controlar as suas emoções quando você está doente ou exausto, mas não é impossível. Quando sentir-se mal é um acontecimento mensal, digo às mulheres que busquem descanso extra, que evitem tomar decisões importantes e que falem o mínimo possível. Mas e se for o caso de uma doença grave? As mudanças de dieta, os exercícios, o riso e algumas outras coisas que sugeri não vão mudar nada para as pessoas que estão muito doentes e precisam de cura. Durante o período de espera, sempre que estiver esperando pelo médico, para receber uma receita ou esperando um milagre de Deus, você precisa lidar com a vida. Percebi que as coisas não param de acontecer só porque eu não sinto vontade de tratar delas.

Você pode controlar as suas emoções durante esses momentos? É claro que sim! Será mais difícil, pode exigir mais oração e mais determinação, mas você pode fazer isto com a ajuda de Deus. O primeiro passo para ser capaz de controlar as suas emoções durante tempos como esses é acreditar que pode fazê-lo. Se não pudéssemos permanecer estáveis em todo tipo de situação, então a Palavra de Deus diria: "Seja estável, exceto quando se sentir mal." Ela não diz isto, mas somos ensinados a permanecer estáveis durante todas as tempestades da vida. Isto me ajudou imensamente a aprender que Deus me dará a capacidade de fazer qualquer coisa que eu tenha de fazer se confiar nele e passar muito tempo com Ele.

O Salmo 91:1 ensina que se habitarmos no lugar secreto do Altíssimo, permaneceremos "... descansados à sombra do Todo-Poderoso." Isto significa que se passarmos muito tempo na presença de Deus, esperando nele, orando e meditando na Sua Palavra, receberemos a força de que precisamos para realizar o que for preciso.

O primeiro erro que costumamos cometer é dar ouvidos à mentira que diz "isto é difícil demais". Satanás é um mentiroso, e ele sempre coloca pensamentos na nossa mente para dizer que não somos capazes, que não conseguiremos, que não iremos e que nunca seremos capazes. O diabo é o sujeito do copo meio vazio, mas Deus sempre vê o copo cheio e transbordante. Podemos escolher adotar a atitude de Deus e ser uma pessoa do tipo "eu creio que posso", em vez de sermos uma pessoa do tipo "eu acho que não posso". Se você acredita que pode permanecer estável e controlar suas emoções mesmo durante os momentos em que é difícil fazer isso, você descobrirá que Deus está operando por intermédio da sua fé e capacitando-o a fazer aquilo em que você acreditou.

Conheço pessoas que estão doentes há muito tempo e que têm as atitudes mais lindas. Elas nunca reclamam, não são carrancudas, não agem como se o mundo lhes devesse alguma coisa, não culpam a Deus e nem sequer sentem pena de si mesmas. Mas também conheço pessoas que passam pelas mesmas circunstâncias que só falam na sua doença, nas consultas médicas e no quanto tudo isso é difícil. Elas se ofendem com facilidade, são amargas e abrigam ressentimentos. Toda situação na vida exige que tomemos a decisão de como vamos reagir, e se reagirmos como Deus reagiria, nossas provações serão muito mais fáceis de lidar. Respeito e admiro gran-

Capítulo 17

demente as pessoas que conseguem permanecer estáveis quando estão sofrendo tremendas dores e desconforto. Creio que elas são um maravilhoso exemplo para todos nós.

Cito uma passagem que você provavelmente ouviu centenas de vezes, mas estou pedindo que olhe para cada palavra e realmente pense no que ela está dizendo:

> Tenho força para todas as coisas em Cristo que me reveste de poder [estou pronto para qualquer coisa por meio dele que me infunde força interior; sou autossuficiente na suficiência de Cristo].
>
> Filipenses 4:13, AMP

Uau! Que versículo encorajador! Não temos de ter medo das coisas que virão, não temos de nos apavorar com elas e não temos de permitir que as circunstâncias nos derrotem antes que sequer tentemos superá-las. Deus está do nosso lado, e a Sua graça é suficiente para suprir cada uma das nossas necessidades.

Talvez você nunca tenha sequer pensado no quanto é importante controlar suas emoções durante tempos de crise. Imagino que todos nós pensamos: *Não posso evitar a minha maneira de agir agora, estou passando por um momento difícil, e isto é tudo.* Essa é uma reação humana, mas Deus está do nosso lado nos ajudando, portanto não temos de nos comportar como uma pessoa "normal" faria. Satanás é o nosso inimigo, e o objetivo dele é nos fazer ficar tão agitados emocionalmente que começaremos a dizer muitas coisas que darão uma abertura a ele em nossas vidas. Ou ele espera que tomemos muitas decisões erradas durante os tempos de dor e que criemos um caos com o qual teremos de lidar por muito, muito tempo depois disso.

O apóstolo Paulo, inspirado pelo Espírito Santo, escreveu em Filipenses que não deveríamos nem por um instante ficar assustados ou intimidados com nada que os nossos oponentes e adversários fizessem contra nós. Ele disse que o nosso destemor e a nossa constância seriam um sinal para os nossos inimigos da sua destruição iminente, e um símbolo e uma evidência da nossa libertação e salvação da parte de Deus (ver Filipenses 1:28). Em outras palavras, parece que quando temos provações, o mundo espiritual está nos observando. Deus está nos observando e Satanás está nos observando, e a maneira como reagimos e o que dizemos são *muito* importantes. Tenho acreditado há anos que se eu puder segurar a minha língua e permanecer emocionalmente estável durante os tempos de dificuldade, estou honrando a Deus com esse comportamento e dizendo ao diabo que ele não vai me controlar.

Nem sempre tenho êxito, mas certamente estou muito melhor do que estive um dia. Como costumo dizer: "Não estou onde preciso estar, mas graças a Deus não estou onde costumava estar." Ainda estou crescendo, mas pelo menos aprendi a importância de controlar minhas emoções, e espero que você também esteja vendo o quanto é importante fazer isso.

Não há dúvida de que é mais difícil controlar as emoções quando você está doente, mas espero que esteja aprendendo que a maneira como reage é uma questão de opção.

Não Negue as Emoções, Apenas Controle-as

É importante para mim que você entenda que não estou lhe dizendo para negar que as suas emoções existem, mas que negue a elas o direito de controlarem você. Todos nós temos toneladas de sentimentos a respeito de centenas, se não milhares de coisas diferentes. Como eu disse, parece que as emoções têm mente própria. Se a sua saúde não está boa, as suas emoções possivelmente podem gritar mais alto do que o normal, o que é uma coisa de se esperar. Não é fácil lidar com a dor. Ouvir o médico dizer que temos uma doença não é nada engraçado. Sei disso porque tive a minha cota de momentos como esse, mas descobri que é muito mais fácil para mim se não deixar que as minhas emoções fiquem desenfreadas. Quanto mais estiver no controle das suas emoções, tanto melhores serão as suas decisões.

Emoções descontroladas me desgastam e tenho certeza de que elas o afetam da mesma maneira. A raiva me deixa cansada; a culpa me deixa cansada; e frustração e pensamentos desenfreados me deixam cansada. Fico exausta até mesmo se falar o dia inteiro sobre problemas e coisas negativas. O simples fato de essas coisas nos sugarem deveria provar que elas tiram de nós em vez de acrescentarem ao nosso bem-estar geral. Na próxima vez que ouvir más notícias de qualquer espécie e sentir que está começando a angustiar-se ou ficar desanimado, lembre-se deste livro e dos princípios que estou compartilhando, depois tome a decisão de permanecer calmo e peça a Deus para lhe dar a Sua direção.

Decisão e confissão: *Quando estiver cansado ou doente, vou controlar minhas emoções e não permitirei que elas me controlem.*

Capítulo 18

O Estresse e as Emoções

Não podemos evitar todo o estresse e, na verdade, um pouco de estresse é bom e necessário. Mas estresse demais nos afeta negativamente. Ele contribui imensamente para os rompantes emocionais que não são bons para nós ou para as pessoas que nos cercam.

A palavra *estresse* originalmente era um termo usado na engenharia. Ele se referia à quantidade de pressão que um prédio podia suportar antes de desabar. Nos dias de hoje, muito mais pessoas estão desabando devido ao estresse do que prédios. Reforçamos nossos prédios para que possam resistir a tempestades, furacões, terremotos e outras coisas do tipo, mas o que estamos fazendo para garantir que não vamos desabar diante dos nossos problemas do tamanho de tempestades, furacões e terremotos?

Você sente o problema e pensa: *Estou estressado a ponto de quebrar*, mas não faz nada a respeito? Oro para que depois de ler este capítulo, você tome algumas decisões que aliviem muito da pressão que você suporta. Frequentemente, o nosso estresse e a nossa pressão devem-se ao fato de que nos comprometemos com coisas demais. Se você diz: "Não sei por que me sinto tão frustrado o tempo todo", seria bom ter uma daquelas reuniões com você mesmo de que falei anteriormente e dar uma boa olhada no que está fazendo e, o mais importante, no *motivo pelo qual* está fazendo essas coisas.

Capítulo 18

Eis a versão resumida do que acontece no seu corpo quando passa por estresse: o estado de angústia ou estimulação dispara um alarme natural no nosso corpo, chamado de reação "lutar ou correr", destinado a ajudar a nos defendermos contra acontecimentos hostis ameaçadores. Até mesmo pensar em um acontecimento angustiante ou imaginar o perigo também pode disparar esse alarme. Então, isto significa que pensar em coisas que geram estresse pode causar a mesma reação como se estivéssemos realmente passando pelo evento estressante.

O cérebro, a glândula pituitária, a glândula adrenal e o córtex adrenal dizem ao corpo para fabricar o cortisol. O cortisol combate inflamações, aumenta a taxa de açúcar no sangue e a tensão muscular. A adrenalina também é produzida, o que acelera os batimentos cardíacos, eleva a pressão sanguínea e os níveis de colesterol, e envia glicose para os músculos. Todas estas reações nos auxiliam a lidar com o evento estressante ou com a emergência que estamos enfrentando. É maravilhoso que Deus tenha criado nosso corpo de tal maneira que ele faz estas coisas por nós. Na verdade, o nosso corpo quer nos ajudar!

Mas as mesmas reações ao estresse que foram embutidas no nosso corpo para nos ajudar, na verdade nos causarão dano se permitirmos que o estresse faça que essa reação de "lutar ou correr" se repita excessivamente. Observe um elástico. Ele estica, mas se for esticado demais ou com muita frequência, pode partir. Já fiz nós em elásticos e continuei usando-os até ter um elástico com quatro nós, mas finalmente se desgastou; ele foi esticado demais, por vezes demais.

Deus me trouxe isto à mente como exemplo de como tratamos o nosso corpo no que se refere ao estresse. Nós nos esticamos até que alguma coisa quebra, então colocamos uma atadura naquilo, medicando o sintoma. Simplesmente continuamos fazendo a mesma coisa até que outra coisa quebra e repetimos o processo. Finalmente, nos sentimos como o elástico com os quatro nós amarrados nele para juntar as partes.

Já cheguei a dizer: "Tenho tido tanto estresse ultimamente que me sinto como se estivesse amarrada em nós." O que quero dizer é que eu havia corrido com tanta velocidade que não conseguia relaxar. Sentia dor, estava tensa, cansada e tinha indigestão e azia, só para citar alguns "nós".

O Que Será Preciso para nos Fazer Mudar?

Infelizmente, normalmente não mudamos até que uma crise nos obrigue a isso. Você pode pensar como eu pensava: *Não posso fazer nada com relação à minha vida porque realmente tenho de fazer tudo o que estou fazendo.* Posso lhe dizer por experiência própria que isso absolutamente não é verdade. Deus nunca nos dá mais do que podemos suportar com paz e alegria. Eu fazia muito do que fazia porque queria fazer. Convenci-me que *tinha* de fazer aquilo tudo, mas a verdade era que eu *queria* fazer.

Talvez você seja uma daquelas pessoas raras que têm muito equilíbrio em suas vidas e usam de muita sabedoria. Mas, se não for, por favor, não desperdice mais a sua vida antes de fazer as mudanças que podem ajudar você a desfrutá-la. "O executivo que trabalha das 7 h da manhã às 7 h da noite todos os dias terá sucesso e será lembrado com carinho pelo *próximo marido* de sua esposa", escreveu John Capozzi. Essa é uma afirmação em que vale a pena pensar. O escritor de Eclesiastes disse:

> Por isso desprezei a vida, pois o trabalho que se faz debaixo do sol pareceu-me muito pesado. Tudo era inútil, era correr atrás do vento.
>
> Desprezei todas as coisas pelas quais eu tanto me esforçara debaixo do sol, pois terei que deixá-las para aquele que me suceder.
>
> Eclesiastes 2:17-18

Capítulo 18

Creio que quando Salomão escreveu isso ele estava tendo um dia ruim. Talvez ele estivesse deprimido e desanimado por estar esgotado por ter de conquistar e manter tantas coisas. Mais adiante, no capítulo 2, ele disse uma coisa sábia:

> Para o homem não existe nada melhor do que comer, beber e encontrar prazer em seu trabalho. E vi que isso também vem da mão de Deus.
>
> Eclesiastes 2:24

Quantas pessoas você conhece que trabalham demais, comprometem-se com muito mais do que podem lidar com paz, e nunca parecem desfrutar nada disso? Você é uma dessas pessoas? Se este é o seu caso, o que será preciso fazer para você mudar?

O estresse é um estado ignorante.
Ele acredita que tudo é uma emergência.
Natalie Goldberg

Quando as pessoas morrem, geralmente alguém pergunta: "Você consegue imaginar quanto ele deve ter deixado?" A resposta é que ele deixou tudo. Todos deixam. Você e eu nunca teremos este momento outra vez, então devemos fazer todos os esforços para desfrutá-lo.

Administrar o estresse é um negócio multimilionário, e você provavelmente já leu um livro ou um artigo (ou vários, se estiver desesperado o bastante) sobre como colocar sua vida sob controle. Duvido que qualquer um de nós administre bem a sua vida a não ser que sejamos guiados pelo Espírito de Deus, e isto significa que seguimos a sabedoria e a paz. Finalmente, admiti que não sou esperta o suficiente para governar a minha vida bem sem a ajuda de Deus. Alguém viu um cartaz que dizia "Se você quer me fazer rir, conte-me os seus planos." E estava assinado: "Deus"!

Podemos ser bons em fazer planos, mas sem considerarmos a sabedoria, a paz e a necessidade de equilíbrio. Também temos a tendência de esquecer todas as outras coisas que já nos comprometemos a fazer até ser tarde demais e estarmos esgotados e frustrados.

> *Alguém viu um cartaz que dizia "Se você quer me fazer rir, conte-me os seus planos." E estava assinado: "Deus"!*

Por que Não Consigo Relaxar e Desfrutar Minha Vida?

As pessoas que estão cansadas e esgotadas, tensas e irritadas, geralmente passam muito tempo reclamando disso, mas fazem pouca coisa ou nada para mudar. Elas querem entender por que se sentem assim, mas mesmo se alguém lhes dissesse, provavelmente ainda não iriam querer mudar nada. Nós nos sentimos presos em uma armadilha! Nós realmente achamos que temos de fazer todas as coisas que fazemos, mas a verdade é que não temos. Se ficasse doente e tivesse de ser hospitalizado por um mês, a vida continuaria. Ou alguém faria o que você estava fazendo, ou — o que é chocante — aquilo poderia simplesmente não ser feito, sem nenhum resultado negativo.

Não estou sugerindo que devemos ignorar as nossas responsabilidades, mas acredito que precisamos aprender que não podemos fazer tudo que queremos fazer, ou tudo que todas as outras pessoas querem que façamos. A primeira chave para diminuir o seu estresse é aprender a dizer não.

Não podemos agradar as pessoas e manter o estresse em um nível razoável.

Não podemos nem mesmo fazer tudo que todas as outras pessoas fazem. Algumas pessoas conseguem realizar mais que outras, mas precisamos aprender a viver dentro dos nossos limites.

Todos têm limites, mas nem todos são iguais. Eu tomo decisões muito depressa, mas sei que outras pessoas precisam de mais tempo para tomar decisões e isto não é um problema. Também tenho uma resistência extremamente grande. Essas habilidades são a graça de Deus me capacitando para fazer o que Ele me deu para fazer.

Tive uma assistente que tentava acompanhar o meu ritmo, e parecia estar indo muito bem e gostava muito de tudo que fazia. Mas ela acabou quase tendo um colapso mental, emocional e físico. Ela queria tanto me agradar que não foi sincera comigo acerca dos seus limites. Às vezes, posso esperar demais das pessoas porque posso realizar muitas coisas, mas não é culpa minha se elas não se comunicam comigo e dizem o que acham que podem fazer enquanto continuam saudáveis e felizes. Em geral, as pessoas não se comunicam sinceramente com seus chefes porque temem perder o emprego. Mas se esse fosse o caso, seria muito melhor perderem o emprego e conseguir outro do que ficarem estressadas o tempo todo.

Um dos maiores agentes de estresse em nossa vida pode ser nos compararmos e competirmos com outras pessoas. A boa notícia é que você é livre para ser você mesmo. Você não precisa sequer tentar ser outra pessoa.

O Estresse Alimenta a Ansiedade

Nada nos prejudica emocionalmente tanto quanto o estresse. Poderíamos dizer que a ansiedade é a emoção descontrolada. Quando alguém sente ansiedade na maior parte do tempo, é porque suas emoções foram pressionadas a ponto de elas não funcionarem mais de uma maneira saudável. Existem muitas situações que geram ansiedade. A morte de um cônjuge ou de um filho, o divórcio e a perda de um emprego são eventos maiores; entretanto, nem todos os motivos são tão graves. Muita ansiedade é causada simplesmente por assumirmos mais do que podemos dar conta.

Não há resposta para o sofrimento emocional a não ser que aprendamos a seguir os princípios de sabedoria de Deus. Eu costumava sentir que estava enlouquecendo por causa do estresse, mas era porque a minha agenda era insana. E — o que é pior — eu achava que estava fazendo aquilo para Deus. É impressionante agora quando olho para trás e vejo o quanto eu estava enganada. Lembre-se sempre de que se Satanás não conseguir impedir você de *trabalhar* para Deus, ele fará tudo para conseguir que você *trabalhe excessivamente* para Deus. Ele realmente não se importa de que lado você está desequilibrado, porque qualquer dos lados causa problemas.

Poderia escrever um livro inteiro sobre este assunto, mas a resposta simples para viver uma vida que você pode desfrutar é aprender os caminhos de Deus e segui-los. Jesus disse: "Eu Sou o Caminho" (João 14:6), e isto significa que Ele nos mostrará como viver da maneira adequada. As respostas que precisamos estão na Bíblia, e devemos tomar a decisão de não apenas lê-las, mas de obedecê-las. Se nos recusarmos a tomar esta decisão e seguirmos em frente, continuaremos a nos sentir estressados até quebrarmos.

Estou certa de que alguns de vocês decidiram enquanto estão lendo este livro que existem muitas mudanças que precisam fazer para que as suas emoções estejam sob controle. Não adie essas mudanças até que as tenha esquecido, porque a procrastinação é uma das melhores armas do diabo. Tenha atitude. Você não precisa sequer terminar de ler o livro antes de começar. Você pode começar enquanto ainda lê. Na verdade, estou desafiando você a tomar uma decisão hoje e a colocá-la em prática. Faça isto como uma semente do seu compromisso de colocar as suas emoções sob controle.

Talvez você esperasse que eu citasse três passos fáceis para remover o estresse e desfrutar estabilidade emocional. Sinto muito por decepcioná-lo, mas qualquer coisa que vale a pena, vale a pena fazer um esforço para se obter. Posso dizer com toda honestidade que um dia eu estive extremamente desequilibrada e muito estressada. Eu também permitia que as minhas emoções me controlassem; mas mudei, e você também pode mudar. Comece perguntando a Deus o que pode eliminar da sua vida que não está produzindo bons frutos. Pode

Capítulo 18

> *Deixo-lhes a paz; a minha paz lhes dou. Não a dou como o mundo a dá. Não se perturbe o seu coração, nem tenham medo.*

ser até mesmo algumas coisas boas que simplesmente não são as melhores para você. Uma coisa pode estar certa para nós em um período e não estar certa para nós em outro momento. Siga a Deus! Siga a paz! Siga o seu coração, e realizará muitas coisas frutíferas e ainda terá energia de sobra para desfrutar do fruto do seu trabalho.

Ao encerrar este capítulo, deixo-o com estas palavras de Jesus:

> Deixo-lhes a paz; a minha paz lhes dou. Não a dou como o mundo a dá. Não se perturbe o seu coração, nem tenham medo.
>
> João 14:27

Está óbvio, com base nas palavras de Jesus, que Ele deseja que tenhamos uma paz maravilhosa, mas, por favor, observe que Ele também está nos dando responsabilidade. Precisamos controlar as emoções negativas que tiram a nossa paz. Não podemos sempre controlar todas as nossas circunstâncias, mas podemos nos controlar com a ajuda de Deus.

Decisão e confissão: *Não farei mais coisas do que posso lidar com paz.*

Capítulo 19

Emoções Positivas

Temos a tendência de colocar o foco nas emoções problemáticas, mas existem muitas emoções que são boas — emoções que promovem saúde, contentamento, alegria, produtividade e uma sensação de bem-estar. Sem essas emoções, este mundo seria um mundo muito maçante.

Sim, muitas emoções precisam ser controladas, mas muitas delas podem ser uma fonte de contentamento. O primeiro exemplo de uma emoção positiva que me vem à mente é a felicidade. Creio que a principal coisa que todos querem na vida é ser feliz. Independentemente de quais sejam as nossas buscas, esperamos que elas nos tragam felicidade.

Uma pessoa trabalha duramente para realizar objetivos porque isto a faz sentir-se feliz. Minha filha Sandra é uma mulher extremamente organizada. Ela me disse uma vez que quando consegue marcar todas as coisas da sua lista como tendo sido realizadas, isto a faz sentir-se realmente feliz. Frequentemente, quando falamos ao telefone e pergunto-lhe o que está fazendo, ela diz "Organizando as coisas". Sou um pouco diferente de minha filha. Amo que as coisas estejam organizadas, mas prefiro não ser a pessoa que vai fazer isso. Minha assistente é boa organizadora. Posso dar a ela uma pilha de coisas de todo o tipo e dizer: "Organize isto em algum lugar para mim para que eu possa olhar para a estante e ver o que tenho." Pago a ela para organizar as coisas para que eu possa ficar feliz.

Creio que quando as coisas estão bem organizadas, isto nos dá uma sensação de ordem e paz, e causa uma sensação de calma e de felicidade. O caos, entretanto, deixa-nos confusos e infelizes. Deus é um Deus de ordem, e não de confusão. Se o seu ambiente é caótico, eu me aventuraria a dizer que outras partes da sua vida também estão fora de ordem. Sugiro que se organize. Se não consegue fazer isso por si mesmo, você poderia pagar alguém para fazê-lo ou encontrar um amigo ou um parente que realmente ame a tarefa de organizar coisas e pedir a ele para ajudá-lo. Você pode fazer uma "permuta" com ele e ajudá-lo, por sua vez, com alguma coisa na qual você é especialmente bom.

O que você faz que o deixa feliz? As pessoas saem de férias esperando comprar um pouco de felicidade. Às vezes, elas até entram em dívidas para comprar o valor de uma semana de felicidade, e depois, quando as contas chegam, elas não estão mais felizes. Algumas das coisas que compramos são necessárias, mas muitas delas são apenas coisas que achamos que nos farão felizes. Pessoas de todo o mundo estão em pé neste instante nos balcões de mercadorias esperando para pagar por alguma coisa que pensam ou esperam que as fará felizes.

Nós nos casamos esperando que isso nos faça felizes, e depois de algum tempo, alguns se divorciam esperando que isso os faça felizes. As pessoas costumam mudar de emprego em busca da felicidade. Até fazemos coisas que não gostamos de fazer, para podermos ficar felizes com o resultado final. Uma mulher pode não gostar de limpar a casa, mas olha para a casa limpa e se sente feliz, de modo que ela a limpa uma semana após a outra. Na verdade, não consigo pensar em nada que fazemos que não tenha a felicidade como agente motivacional. Há muitas coisas que me fazem feliz, mas descobri que obedecer a Deus é a coisa número 1 que me deixa feliz. Quando estou fluindo com Deus, tenho um profundo contentamento ao qual nada mais se compara. Talvez nem sempre eu goste do que Ele me pede para fazer, mas se eu resistir e me rebelar, não ficarei feliz no fundo da minha alma; e se obedecer, ficarei feliz.

Infelizmente, muitas pessoas não obedecem a Deus e depois se desgastam freneticamente tentando conseguir ou comprar a felicidade de alguma maneira. Independentemente do que possuímos, não ficaremos felizes se fazer a vontade de Deus não for uma prioridade em nossas vidas.

Por que Tantos Cristãos São Infelizes?

Creio que algumas pessoas têm uma percepção de que o cristianismo é austero, sério e sem alegria. Isto porque muitas pessoas que se chamam de cristãs têm uma atitude azeda e um rosto triste. Elas são críticas com relação aos outros e rápidas em julgar. Aqueles que amam e servem a Deus e ao Seu Filho, Jesus Cristo, deveriam ser as pessoas mais felizes da terra. Deveríamos poder desfrutar tudo que fazemos, simplesmente porque sabemos que Deus está presente. Foi um grande dia para mim quando finalmente descobri por meio do estudo da Palavra de Deus que *Deus quer que desfrutemos as nossas vidas*. Na verdade, Ele enviou Jesus para garantir que pudéssemos fazer isto (ver João 10:10). A nossa alegria faz Deus feliz!

A felicidade é uma emoção que promove o bem-estar, e creio que é contagiosa. Uma das melhores maneiras de testemunhar a outros sobre Jesus é ser feliz e desfrutar tudo o que fazemos. Se partirmos do princípio de que todos simplesmente querem ser felizes, então poderemos concluir que se eles virem que ser um cristão produzirá felicidade, estarão abertos para aprender sobre Jesus e recebê-lo também.

Existem muitas emoções às quais temos de resistir, mas a felicidade não é uma delas! Portanto, vá em frente e seja tão feliz quanto você puder.

Capítulo 19

Sinto-me Empolgado

A empolgação, o zelo e a paixão também são emoções positivas. Elas nos enchem de energia para seguirmos em frente com as nossas buscas. A Bíblia nos instrui a sermos zelosos e entusiasmados enquanto servimos ao Senhor (ver Romanos 12:11). Em Apocalipse 3:19, Deus nos instrui a sermos entusiasmados e a ardermos com zelo até quando Ele nos castigar ou nos corrigir. Por que deveríamos fazer isto? Simplesmente porque Ele espera que nós confiemos que tudo que faz é para o nosso bem, no fim das contas.

Faço questão de tentar estar empolgada em cada dia que Deus me dá. O salmista Davi disse: "Este é o dia que o Senhor fez; alegremo-nos e regozijemo-nos nele" (Salmos 118:24, ARA). As boas emoções procedem das boas decisões e dos bons pensamentos. Durante anos, eu me levantava todos os dias e esperava perceber como me sentia, depois deixava que esses sentimentos ditassem o curso do meu dia. Agora, disponho a minha mente na direção correta e tomo decisões que sei que produzirão emoções que posso desfrutar.

> *Durante anos, eu me levantava todos os dias e esperava perceber como me sentia, depois deixava que esses sentimentos ditassem o curso do meu dia. Agora, disponho a minha mente na direção correta e tomo decisões que sei que produzirão emoções que posso desfrutar.*

Desperdicei muitos anos de minha vida deixando que emoções negativas e até venenosas me controlassem, e recuso-me a fazer isso por mais tempo. A cada dia, decido desfrutar o dia, ficar empolgada com qualquer coisa que eu faça e fazê-la com zelo e entusiasmo. Tomo a decisão todos os dias de estar contente!

Não conseguirei cumprir a minha decisão se não dispuser a minha mente e a mantiver na direção certa. Acredito firmemente que os sentimentos seguem as decisões.

Vivendo Dias Comuns com uma Atitude Extraordinária

Muitos dos nossos dias são bastante comuns. Todos nós temos momentos na vida que são impressionantes, mas muito na vida é segunda-feira, terça-feira, quarta-feira, quinta-feira, sexta-feira, sábado, domingo, e de volta à segunda-feira outra vez. Há duas semanas eu estava diante de 225 mil pessoas no Zimbábue, pregando o evangelho de Jesus Cristo e ensinando a Palavra de Deus. Era meu aniversário e 225 mil pessoas cantaram parabéns para mim, e isso foi maravilhoso.

Ontem fui a uma loja comprar panos de prato novos e depois fui ao mercado, mas posso dizer sinceramente que apreciei o Zimbábue e o mercado da mesma forma. O Zimbábue foi um evento que acontece uma vez na vida e que foi empolgante, e algo que jamais esquecerei, mas ter outro dia para desfrutar a presença de Deus também é empolgante, mesmo se passar o dia realizando tarefas.

A presença de Deus torna a vida dinâmica se tivermos uma compreensão adequada da vida como um todo. Tudo que fazemos é sagrado se o fizermos para o Senhor e acreditarmos que Ele está conosco. Pergunte a si mesmo neste instante se realmente acredita que Deus está com você. Se a sua resposta for sim, pense no quanto isto é impressionante, e aposto que o seu contentamento aumentará imediatamente.

Creio que o salmista Davi descobriu o segredo do entusiasmo. Ele simplesmente decidiu e declarou: "Este é o dia que o Senhor fez, eu me regozijarei e me alegrarei nele." O verbo no tempo futuro diz tudo. Ele tomou uma decisão que gerou os sentimentos que ele queria, em vez de esperar perceber como se sentia.

O Valor do Otimismo

O otimismo é uma atitude que podemos adotar e que gerará expectativa e alegria. Viver com expectativa positiva é algo adorável. O otimismo pega um dia muito cinzento e o pinta com lindas cores.

A expectativa espera com uma atitude de que algo de bom está para acontecer a qualquer momento. O que você está esperando hoje e amanhã, ou, no que diz respeito ao assunto, o que você está esperando da vida? O salmista Davi disse que ele não sabia o que seria dele se não acreditasse que veria a bondade do Senhor enquanto ele ainda estava vivo (ver Salmos 27:13).

O sentimento ou a emoção da expectativa é bom, portanto vá em frente e espere que Deus se mostre forte em seu favor. A expectativa é o contrário da desesperança, e pessoalmente acredito que a desesperança é o pior sentimento do mundo. Temos de ter um motivo para nos levantarmos todos os dias. Sem esperança, as pessoas ficam deprimidas. Tudo na vida parece escuro e sombrio. Deus quer que vivamos em um mundo colorido. O desejo dele é ser bom para nós, mas precisamos esperar pela Sua bondade com fé.

Algumas pessoas poderiam pensar que é humilde não esperar nada, mas eu digo que é antibíblico. Não merecemos nada, mas Deus é bom e Ele quer nos dar coisas boas de qualquer maneira. Isaías 30:18 afirma que Deus está esperando para ser gracioso, para ter misericórdia e para demonstrar bondade, e aqueles que esperam que Ele faça isso são realmente abençoados. O que você está esperando? Você é uma pessoa do tipo "deixa a vida me levar"? Ou você se levanta todos os dias com uma visão otimista de expectativa e alegria?

Relaxe e Siga o Fluxo

O sentimento de estar relaxado é maravilhoso, então por que as pessoas não são mais relaxadas? Jesus disse que se estivermos cansados e sobrecarregados, devemos ir até Ele e Ele nos dará descanso, relaxamento e calma (ver Mateus 11:29). Jesus quer nos ensinar a maneira certa de viver, que é diferente do modo que a maioria do mundo vive.

Não seria exagero dizer que fui uma mulher irritada durante a primeira metade da minha vida. Eu simplesmente não sabia como relaxar, e isso era devido ao fato de que não estava disposta a confiar completamente em Deus. Eu confiava em Deus *para* as coisas, mas não *nas* coisas. Eu ficava tentando ser a pessoa que estava no controle. Embora Deus estivesse no banco do motorista da minha vida, eu mantinha uma das mãos no volante para o caso de Ele virar uma curva errada. Sem confiança é impossível relaxar! Dave é a pessoa mais relaxada que já conheci. Parte disso pode ser devido ao temperamento que Deus lhe deu, mas a maior parte se deve à sua fé em Deus. Dave realmente acredita que aconteça o que acontecer em nossas vidas, Deus cuidará disso, e isto lhe permite relaxar.

Descobrimos até mesmo que Deus pode consertar — e irá consertar — os nossos erros e fará que eles cooperem para o nosso bem se continuarmos orando e confiando nele. Tudo é possível para Deus. Se você sabe que não pode resolver o problema que tem, então por que não relaxar enquanto Deus está trabalhando nele? Parece fácil, mas demorei muitos anos para conseguir fazer isto. Sei por experiência própria que a capacidade de relaxar e seguir com o fluxo na vida depende da nossa disposição de confiar em Deus *completamente.*

Se as coisas não correrem do jeito que deseja, em vez de ficar irritado, você pode acreditar que o que desejava não era o que precisava. Deus sabia disso, então Ele lhe deu o que era melhor para você, em vez de lhe dar o que queria. No instante em que faz isso, a sua alma e o seu corpo relaxam, e você pode então desfrutar a vida.

Se está esperando por muito mais tempo do que esperava em alguma situação, você pode ficar frustrado, irado e angustiado, ou pode dizer: "O tempo de Deus é perfeito, Ele nunca se atrasa. E os meus passos são ordenados pelo Senhor." Agora você pode relaxar e simplesmente seguir o fluxo do que está acontecendo em sua vida. É claro que existem coisas que precisamos resistir, como o mal e a tentação de nos comportarmos de uma maneira ímpia. Mas no que se refere ao que está fora do nosso controle, podemos estragar o nosso dia ou relaxar e desfrutá-lo enquanto Deus está trabalhando na situação. Enquanto acreditamos, Deus continua trabalhando!

Capítulo 19

Proximidade e Distanciamento

Creio que fomos criados para estar unidos. Deus quer que possamos nos ligar e nos sentirmos próximos das outras pessoas, o que é uma das maiores alegrias da vida. Infelizmente, também pode ser uma fonte de dor, o que facilita que nos tornemos distantes e desligados. Achamos que estamos nos protegendo, mas a dor da solidão e do isolamento é muito pior que a dor do relacionamento.

Eu não confiava em ninguém depois de quinze anos sofrendo abuso sexual de meu pai e infidelidade por parte do meu marido no meu primeiro casamento. O meu lema era: "Se você não deixar ninguém entrar na sua vida, as pessoas não poderão ferir você." Ele pareceu funcionar por algum tempo, mas então percebi que eu estava solitária e que estava perdendo muitas coisas na vida que podiam ser desfrutadas somente com outras pessoas. Embora estivesse com pessoas em casa, no trabalho e na igreja, eu nunca realmente me envolvia, ao contrário, continuava desligada e distante. Eu só participava se pudesse estar no controle da situação, porque assim me sentia segura. Estou certa de que muitos de vocês sabem exatamente do que estou falando.

A capacidade de ligar-se a outras pessoas não pode acontecer se uma das partes estiver tentando controlar a outra. Não fomos criados por Deus para sermos controlados; assim, sempre nos ressentiremos por isso. Finalmente, as pessoas se cansam de serem controladas e começam a preferir relacionamentos em que elas podem ter a liberdade para ser quem são e para tomar algumas decisões que precisam ser tomadas. Se você tem a tendência de querer controlar as pessoas e as situações para não se ferir, encorajo-o firmemente a desistir disso e a aprender a relacionar-se à maneira de Deus.

À medida que cresci no meu relacionamento com Deus, Ele me ensinou que eu precisava confiar nas pessoas e estar vulnerável embora fosse me machucar eventualmente. Ele me prometeu que quando eu fosse magoada Ele me curaria e me permitiria seguir em frente e tentar de novo. Fui profundamente ferida de tempos em tempos por pessoas com as quais eu me relacionava, mas me recusei a permitir que isso me deixasse amarga e desconfiada. O amor leva em consideração as fraquezas e as falhas dos outros. As pessoas com certeza não são perfeitas, mas no fim elas valem a pena o esforço. Poucas coisas na terra se comparam à alegria e aos benefícios de um relacionamento íntimo e próximo com outro ser humano.

Você pode sentir-se próximo das pessoas se optar por abrir o coração para elas e se estiver disposto a passar pelas dificuldades que todos nós encontramos para desenvolvermos bons relacionamentos. Creio que quando temos um problema em um relacionamento com alguém, mas decidimos resolvê-lo, no fim esse alguém se torna mais chegado do que era antes. Muitas pessoas desistem diante do primeiro sinal de dificuldade. Elas decidiram nunca se ferir novamente, e essa decisão impede que tenham a alegria de um relacionamento próximo e intimidade com seu cônjuge e com os outros membros da família.

Quero enfatizar novamente que não podemos ter proximidade se não estivermos dispostos a passar por certa dose de dor. As pessoas simplesmente não são perfeitas, e realmente cometemos erros. É a disposição de perdoar e de seguir em frente que torna os relacionamentos fortes.

O sentimento de estar ligado e próximo a outros definitivamente se encaixa no título das "Emoções Positivas". Conheci um homem que nunca em sua vida se permitira ser próximo de alguém; ele morreu sozinho, e ninguém sente falta dele. Este é um final triste para uma vida. Ele perdeu tudo e não terá uma segunda chance. A Bíblia diz que temos apenas uma oportunidade de viver e depois vem o juízo (ver Hebreus 9:27), então creio que devemos tentar fazer que a oportunidade que temos valha a pena.

Capítulo 19

A Beleza da Empatia

É maravilhoso sentir empatia pelos outros que estão sofrendo, oprimidos ou sendo maltratados de alguma maneira. Simplesmente odeio ver pessoas sofrendo sem ter quem as ajude. Deus sente compaixão e entra em ação para ajudar os que estão sofrendo, e devemos fazer o mesmo. A verdadeira compaixão começa com um sentimento que se torna tão intenso que nos impele a agir.

Um dos exemplos mais ternos desse comportamento ocorreu nas Olimpíadas Especiais de Seattle, em 1976. Nove jovens competidores, todos portadores de deficiência mental ou física, reuniram-se na linha de partida para a corrida dos 100 metros. Ao som do disparo, todos começaram a correr em direção à linha de chegada — todos exceto um garotinho, que tropeçou, caiu e começou a chorar.

Uma por uma, as outras crianças pararam e olharam para trás. Então cada uma delas deu meia-volta, andou em direção ao garotinho e se reuniram em volta dele, consolando-o. Uma garotinha abaixou-se e beijou seu joelho ralado, dizendo: "Isto vai fazer melhorar."

Todas as nove crianças se levantaram, deram o braço umas às outras e andaram juntas até a linha de chegada. Naquele dia, um estádio cheio de espectadores com corpos sadios aprendeu o que realmente nos faz felizes.

Creio que Satanás está empenhado na missão de nos dessensibilizar para com a dor das outras pessoas. Parece que tudo o que ouvimos na televisão ou lemos nos jornais é sobre alguma coisa terrível que alguém fez. Essas coisas se tornaram tão comuns que podemos ser culpados por não prestarmos sequer muita atenção a elas. Dave se lembra de quando o primeiro menino que entregava jornais foi roubado em St. Louis, onde moramos. Ele disse que a cidade inteira ficou chocada que algo assim pudesse acontecer. Agora, por causa da extrema violência do mundo, um jornaleiro ser roubado não seria sequer algo digno de ser mencionado no noticiário.

O Perigo do Nosso Coração Ficar Endurecido

> Darei a eles um coração não dividido e porei um novo espírito dentro deles; retirarei deles o coração de pedra e lhes darei um coração de carne.
>
> Ezequiel 11:19

Esta passagem significa muito para mim porque eu era uma pessoa de coração endurecido devido ao abuso que sofri nos primeiros anos de minha vida. Esse versículo bíblico me deu esperança de que poderia mudar. Deus nos dá coisas na forma de sementes e precisamos trabalhar com o Espírito Santo para trazê-las à plena maturidade. Isto é muito semelhante ao fruto do Espírito, que está em nós, mas precisa ser regado com a Palavra de Deus e desenvolvido por intermédio do uso.

Como crentes em Jesus, temos um coração sensível, mas nossos corações podem tornar-se endurecidos se não formos cuidadosos nessa área. Descobri que dedicar tempo para pensar realmente no que as pessoas estão passando nas suas situações específicas me ajuda a ter compaixão. Jesus movia-se de compaixão, e devemos fazer o mesmo. Devemos ser movidos a orar ou a ajudar de alguma maneira.

A empatia é uma linda emoção e felizmente é uma emoção à qual não devemos resistir!

Vamos aprender a resistir às emoções negativas que envenenam nossas vidas e abraçar as que podemos desfrutar e que glorificam a Deus.

As emoções são um presente de Deus; na verdade, são uma grande parte do que faz de nós seres humanos. Sem elas, a vida seria maçante, e pareceríamos robôs. Pelo fato de as emoções serem uma parte vulnerável do nosso ser, Satanás procura aproveitar-se disso e tornar o que Deus projetou para ser algo bom em algo mau.

Gosto de imaginar todas as emoções agradáveis que Adão e Eva tinham no jardim antes de permitirem que o pecado entrasse no mundo. Estou certa de que era realmente algo maravilhoso. Mas quando caíram em pecado, a emoção deles caiu com eles. Jesus redimiu cada parte do nosso ser, inclusive as nossas emoções. Deve ter sido maravilhoso nunca sentir culpa, medo, ódio, ciúmes ou preocupação — nunca ter de resistir a nenhuma das emoções feias com as quais lidamos hoje. Mas embora tenhamos de resistir a essas emoções, ainda podemos estar livres delas por intermédio de Jesus Cristo.

O desejo de Deus é que você desfrute a vida que Ele preparou para você, e isto é impossível, a não ser que aprenda a controlar os seus sentimentos, em vez de permitir que eles controlem você.

Com a ajuda de Deus, você pode fazer isso!

Sugestões para Leitura

Por que Agimos Como Agimos?, Tim LaHaye, Living Books, 1999.

Temperamentos Controlados, Tim LaHaye, Mundo Cristão, 2008.

Your Personality Tree – Discovering the Real You By Uncovering the Roots of Your Personality Tree, Florence Littauer, Thomas Nelson Publishers, 1989.

Personality Plus: How to Understand Others by Understanding Yourself, Florence Littauer, Revell, 1992.

The Treasure Tree – Helping Kids Understand Their Personality, Gary e Norma Smalley & John e Cindy Trent, Thomas Nelson, 1998.

Your Spiritual Personality: Using the Strengths of Your Personality to Deepen Your Relationship with God, Marita Littauer, John Wiley & Sons, 2004.

Godly Personalities: Growing Spiritually in Your Created Personality Type, Roger, Deemer, Deep River Publishers, 2011.

Wired that Way: The Comprehensive Personality Plan, Marita Littauer, Regal Books e-pub, 2006.